LA VIE CONSACRÉE

EXHORTATION APOSTOLIQUE
POST-SYNODALE

VITA CONSECRATA

DE SA SAINTETÉ

JEAN-PAUL II

SUR LA VIE CONSACRÉE ET SA MISSION
DANS L'ÉGLISE ET DANS LE MONDE

MÉDIASPAUL

ISBN 2-89420-338-1

Dépôt légal - 2e trimestre 1996
Bibliothèque nationale du Québec
Bibliothèque nationale du Canada

3965, boul. Henri-Bourassa Est
Montréal, QC, H1H 1L1 (Canada)

INTRODUCTION

1. LA VIE CONSACRÉE, profondément enracinée dans l'exemple et dans l'enseignement du Christ Seigneur, est un don de Dieu le Père à son Église par l'Esprit. Grâce à la profession des conseils évangéliques, *les traits caractéristiques de Jésus* — chaste, pauvre et obéissant — *deviennent « visibles » au milieu du monde de manière exemplaire et permanente* et le regard des fidèles est appelé à revenir vers le mystère du Royaume de Dieu, qui agit déjà dans l'histoire, mais qui attend de prendre sa pleine dimension dans les cieux.

Au cours des siècles, il y a toujours eu des hommes et des femmes qui, dociles à l'appel du Père et à la motion de l'Esprit, ont choisi la voie d'une *sequela Christi* particulière, pour se donner au Seigneur avec un cœur « sans partage » (cf. *1 Co* 7,34). Eux aussi, ils ont tout quitté, comme les Apôtres, pour demeurer avec lui et se mettre, comme lui, au service de Dieu et de leurs frères. Ainsi, ils ont contribué à manifester le mystère et la mission de l'Église par les multiples charismes de vie spirituelle et apostolique que leur donnait l'Esprit Saint, et ils ont aussi concouru par le fait même à renouveler la société.

2. Le rôle joué par la vie consacrée dans l'Église est si important que j'ai décidé de convoquer un Synode pour en approfondir le sens et les perspectives d'avenir, en vue du nouveau millénaire désormais imminent. J'ai voulu que, avec les Pères, de nombreuses personnes consacrées soient présentes à l'assemblée synodale, afin que la réflexion commune bénéficie de leur contribution.

Nous sommes tous conscients de la richesse que constitue pour la communauté ecclésiale le don de la vie consacrée avec la variété de ses charismes et de ses institutions. *Ensemble, nous rendons grâce à Dieu* pour les Ordres et les Instituts qui s'adonnent à la contemplation et aux œuvres d'apostolat, pour les Sociétés de vie apostolique, pour les Instituts séculiers et pour d'autres groupes de consacrés, de même que pour tous ceux qui, dans le secret de leur cœur, se donnent à Dieu par une consécration spéciale.

Au Synode, on a pu toucher du doigt la diffusion universelle de la vie consacrée, présente dans les Églises en tout lieu de la terre. Cette vie stimule et accompagne le développement de l'évangélisation dans les différentes régions du monde où l'on ne se contente pas de recevoir avec reconnaissance des Instituts venus de l'extérieur, mais où il s'en constitue de nouveaux, dans une grande variété de formes et d'expressions.

Si donc, en certaines régions de la terre, les Instituts de vie consacrée semblent traverser une période difficile, dans d'autres, ils se développent avec une surprenante vigueur, montrant que le choix d'un don total à Dieu dans le Christ n'est nullement incompatible avec la culture et avec l'histoire de chaque peuple. Cette floraison ne concerne pas seulement l'Église catholique, mais elle est aussi particulièrement vive dans le monachisme des Églises orthodoxes, dont elle constitue un trait essentiel. Elle est en train de naître ou de renaître dans les Églises et les Communautés ecclésiales issues de la Réforme, comme signe d'une grâce commune aux disciples du Christ. Une telle constatation donne un élan à l'œcuménisme, qui nourrit le désir d'une communion toujours plus grande entre les chrétiens, « afin que le monde croie » (*Jn* 17,21).

La vie consacrée, don fait à l'Église

3. La présence universelle de la vie consacrée et le caractère évangélique de son témoignage montrent clairement, s'il en était besoin, qu'*elle n'est pas une réalité isolée et marginale,* mais qu'elle intéresse toute l'Église. Au Synode, les Évêques l'ont plusieurs fois répété: *« De re nostra agitur »,* « c'est une question qui nous concerne ».[1] En réalité, *la vie consacrée est placée au cœur même de l'Église* comme un élément décisif pour sa mission, puisqu'elle « fait comprendre la

[1] Cf. *Proposition* 2.

nature intime de la vocation chrétienne »[2] et la tension de toute l'Église-Épouse vers l'union avec l'unique Époux.[3] Il a été plusieurs fois affirmé au Synode que la vie consacrée n'a pas seulement joué dans le passé un rôle d'aide et de soutien pour l'Église, mais qu'elle est encore un don précieux et nécessaire pour le présent et pour l'avenir du Peuple de Dieu, parce qu'elle appartient de manière intime à sa vie, à sa sainteté et à sa mission.[4]

Les difficultés que rencontrent actuellement un certain nombre d'Instituts dans plusieurs régions du monde ne doivent pas amener à mettre en doute le fait que la profession des conseils évangéliques est *une partie intégrante de la vie de l'Église,* à laquelle elle donne un élan précieux pour une cohérence évangélique toujours plus grande.[5] Dans l'histoire, on pourra rencontrer par la suite des formes différentes, mais sans changement de la nature d'un choix qui s'exprime dans le radicalisme du don de soi par amour du Seigneur Jésus et, en lui, de chaque membre de la famille humaine. *Le peuple chrétien continue à avoir cette assurance,* qui a animé d'innom-

[2] Concile œcuménique Vatican II, Décret sur l'activité missionnaire de l'Église *Ad gentes,* n. 18.

[3] Cf. Conc. œcum. Vat. II, Constitution dogmatique sur l'Église *Lumen gentium,* n. 44; Paul VI, Exhort. ap. *Evangelica testificatio* (29 juin 1971), n. 7: *AAS* 63 (1971), pp. 501-502; Exhort. ap. *Evangelii nuntiandi* (8 décembre 1975), n. 69: *AAS* 68 (1976), p. 59.

[4] Cf. Conc. œcum. Vat. II, Const. dogm. *Lumen gentium,* n. 44.

[5] Cf. Jean-Paul II, Discours à l'audience générale (28 septembre 1994), n. 5: *La Documentation catholique* 91 (1994), pp. 928-929.

brables personnes au cours des siècles, en sachant bien qu'il peut recevoir de l'apport de ces âmes généreuses le plus fort des soutiens dans son chemin vers la patrie du ciel.

Recueillir les fruits du Synode

4. Répondant volontiers au désir exprimé par l'Assemblée générale ordinaire du Synode des Évêques réunie pour réfléchir sur le thème « la vie consacrée et sa mission dans l'Église et dans le monde », je me propose de présenter dans cette Exhortation apostolique les fruits de la démarche synodale[6] et de montrer à tous les fidèles, Évêques, prêtres, diacres, personnes consacrées et laïcs, comme à tous ceux qui voudront y prêter attention, les merveilles que le Seigneur veut accomplir aujourd'hui encore par la vie consacrée.

Ce Synode, à la suite de ceux qui ont été consacrés aux laïcs et aux prêtres, complète l'examen systématique des données particulières qui caractérisent les états de vie voulus par le Seigneur Jésus pour son Église. En effet, si le Concile Vatican II a souligné la grande réalité de la communion ecclésiale où convergent tous les dons en vue de la construction du Corps du Christ et de la mission de l'Église dans le monde, au cours de ces dernières années, il a paru nécessaire de mieux expliquer *l'identité des différents états de vie,*

[6] Cf. *Proposition* 1.

leur vocation et leur mission spécifique dans l'Église.

Dans l'Église, en effet, la communion n'est pas uniformité, mais elle est un don de l'Esprit qui passe à travers la variété des charismes et des états de vie. Ceux-ci seront d'autant plus utiles à l'Église et à sa mission que l'on respectera davantage leur identité. De fait, tout don de l'Esprit est accordé afin qu'on le fasse fructifier pour le Seigneur,[7] dans le progrès de la fraternité et l'avancée de la mission.

L'œuvre de l'Esprit dans les différentes formes de vie consacrée

5. Comment ne pas faire mémoire avec reconnaissance envers l'Esprit de *l'abondance des formes historiques de vie consacrée* suscitées par Lui et présentes aujourd'hui dans le tissu ecclésial? Ces formes ont l'aspect d'une plante aux multiples rameaux,[8] qui plonge ses racines dans l'Évangile et produit des fruits abondants à tous les âges de l'Église. Quelle extraordinaire richesse! À la fin du Synode, j'ai moi-même éprouvé le besoin de souligner la présence constante de cet élément dans l'histoire de l'Église, le cortège de fondateurs et de fondatrices, de saints et de saintes qui ont choisi le Christ dans la radicalité évangélique

[7] Cf. S. François de Sales, *Introduction à la vie dévote,* Ie partie, ch. 3, *Oeuvres, Bibliothèque de la Pléiade,* Paris (1969), pp. 36-37.

[8] Cf. Conc. œcum. Vat. II, Const. dogm. *Lumen gentium,* n. 43.

et dans le service de leurs frères, spécialement des pauvres et des délaissés.[9] Ce service montre à l'évidence combien la vie consacrée manifeste *l'unité du commandement de l'amour,* dans le lien indissoluble entre l'amour de Dieu et l'amour du prochain.

Le Synode a fait mémoire de cette œuvre constante de l'Esprit Saint, qui déploie au cours des siècles les richesses de la pratique des conseils évangéliques grâce aux multiples charismes et qui rend ainsi perpétuellement présent le mystère du Christ dans l'Église et dans le monde, dans le temps et dans l'espace.

La vie monastique en Orient et en Occident

6. Les Pères synodaux des Églises catholiques orientales et les représentants des autres Églises de l'Orient ont mis en relief *les valeurs évangéliques de la vie monastique,*[10] apparue dès les débuts du christianisme et florissante aujourd'hui encore sur leur territoire, surtout dans les Églises orthodoxes.

Depuis les premiers siècles de l'Église, des hommes et des femmes se sont sentis appelés à imiter la condition de serviteur du Verbe incarné et ils se sont mis à sa suite en vivant de manière

[9] Cf. JEAN-PAUL II, Homélie de la concélébration solennelle au terme de la IXe Assemblée générale ordinaire du Synode des Évêques (29 octobre 1994), n. 3: *AAS* 87 (1995), p. 580.

[10] Cf. SYNODE DES ÉVÊQUES, IXe Assemblée générale ordinaire, *Message final du Synode* (27 octobre 1994), VII: *La Documentation catholique* 91 (1994), p. 984.

spécifique et radicale, par la profession monastique, les exigences qui découlent de la participation baptismale au mystère pascal de sa mort et de sa résurrection. En portant la Croix (*staurophóroi*), ils se sont ainsi engagés à devenir témoins de l'Esprit (*pneumatophóroi*), hommes et femmes authentiquement spirituels, capables de féconder secrètement l'histoire par la louange et l'intercession continuelles, par les conseils ascétiques et les œuvres de charité.

En voulant transfigurer le monde et la vie dans l'attente de la vision définitive du visage de Dieu, le monachisme oriental privilégie la conversion, le renoncement à soi-même et la componction du cœur, la recherche de l'*hésychia,* c'est-à-dire de la paix intérieure, et la prière continuelle, le jeûne et les veilles, le combat spirituel et le silence, la joie pascale dans la présence du Seigneur et dans l'attente de sa venue définitive, l'offrande de soi et de ses propres biens, vécue dans la sainte communion du monastère ou dans la solitude érémitique.[11]

L'Occident lui aussi a pratiqué la vie monastique dès les premiers siècles de l'Église, et il en a connu une grande variété d'expressions dans les domaines cénobitique et érémitique. Dans sa forme actuelle, inspirée surtout de saint Benoît, le monachisme occidental est l'héritier d'hommes et de femmes nombreux qui, après avoir quitté la vie selon le monde, cherchèrent Dieu et se don-

[11] Cf. *Proposition* 5, B.

nèrent à lui, « sans rien préférer à l'amour du Christ ».[12] Aujourd'hui encore, les moines s'efforcent de *concilier harmonieusement la vie intérieure et le travail* dans l'engagement évangélique de la conversion des mœurs, de l'obéissance et de la stabilité, ainsi que dans la pratique assidue de la méditation de la Parole (*lectio divina*), de la célébration de la liturgie, de la prière. Les monastères ont été et sont encore, au cœur de l'Église et du monde, un signe éloquent de communion, une demeure accueillante pour ceux qui cherchent Dieu et les réalités spirituelles, des écoles de la foi et de vrais centres d'études, de dialogue et de culture pour l'édification de la vie ecclésiale et de la cité terrestre elle-même, dans l'attente de la cité céleste.

L'ordre des vierges, les ermites, les veuves

7. C'est un motif de joie et d'espérance que de voir à notre époque le retour de *l'antique ordre des vierges,* dont nous avons trace dans les communautés chrétiennes depuis les temps apostoliques.[13] Les vierges consacrées par l'Évêque diocésain entrent dans une relation étroite avec l'Église et elles se mettent à son service, tout en restant dans le monde. Seules ou associées, elles constituent *une image eschatologique de l'Épouse céleste et de la vie future,* dans laquelle l'Église

[12] Cf. S. Benoît, *Règle,* 4, 21 et 72, 11.
[13] Cf. *Proposition* 12.

vivra finalement en plénitude l'amour pour le Christ son Époux.

Les *ermites,* hommes et femmes, appartenant à des Ordres anciens ou à des Instituts nouveaux, ou encore en dépendance directe de l'Évêque, témoignent de la fugacité du temps présent par leur séparation intérieure et extérieure du monde; ils attestent par le jeûne et la prière que l'homme ne vit pas seulement de pain, mais de la Parole de Dieu (cf. *Mt* 4,4). Cette vie « au désert » est une invitation pour leurs semblables et pour la communauté ecclésiale elle-même à *ne jamais perdre de vue la vocation suprême,* qui est de demeurer toujours avec le Seigneur.

On assiste aujourd'hui au retour de la consécration des *veuves,*[14] connue depuis les temps apostoliques (cf. *1 Tm* 5,5.9-10; *1 Co* 7,8), ainsi que de celle des veufs. Par leur vœu de chasteté perpétuelle pour le Royaume de Dieu, ces personnes se consacrent dans leur condition pour se donner à la prière et au service de l'Église.

Instituts totalement consacrés à la contemplation

8. Les Instituts totalement ordonnés à la contemplation, composés de femmes ou d'hommes, sont pour l'Église un motif de gloire et une source de grâces célestes. Par leur vie et par leur mission, les personnes qui en font partie imitent le Christ en prière sur la montagne, elles té-

[14] Cf. *Code des Canons des Églises orientales,* can. 570.

moignent de la seigneurie de Dieu sur l'histoire, elles anticipent la gloire future.

Dans la solitude et dans le silence, par l'écoute de la Parole de Dieu, la pratique du culte divin, l'ascèse personnelle, la prière, la mortification et la communion de l'amour fraternel, elles orientent toute leur vie et toute leur activité vers la contemplation de Dieu. Elles offrent ainsi à la communauté ecclésiale un témoignage unique de l'amour de l'Église pour son Seigneur et elles contribuent, avec une mystérieuse fécondité apostolique, à la croissance du Peuple de Dieu.[15]

Il est donc légitime de souhaiter que les différentes formes de vie contemplative connaissent *une diffusion croissante dans les jeunes Églises* comme expression du plein enracinement de l'Évangile, surtout dans les régions du monde où les autres religions sont le plus répandues. Cela permettra de témoigner efficacement de la vigueur des traditions d'ascèse et de mystique chrétiennes et cela favorisera même le dialogue inter-religieux.[16]

La vie religieuse apostolique

9. En Occident, on a vu fleurir au long des siècles de nombreuses autres expressions de vie religieuse, qui ont permis à d'innombrables per-

[15] Cf. CONC. ŒCUM. VAT. II, Décret sur la rénovation et l'adaptation de la vie religieuse *Perfectæ caritatis,* n. 7; Décret *Ad gentes,* n. 40.

[16] Cf. *Proposition* 6.

sonnes, renonçant au monde, de se consacrer à Dieu par la profession publique des conseils évangéliques selon un charisme spécifique et une forme de vie commune stable, *pour les différentes formes d'apostolat auprès du Peuple de Dieu*.[17] Il en va ainsi pour les diverses familles de Chanoines réguliers, les Ordres mendiants, les Clercs réguliers et, de manière générale, les Congrégations religieuses d'hommes et de femmes qui s'adonnent à l'activité apostolique et missionnaire ainsi qu'aux œuvres multiples suscitées par la charité chrétienne.

C'est un témoignage magnifiquement varié, qui reflète la multiplicité des dons communiqués par Dieu aux fondateurs et aux fondatrices. Ceux-ci, ouverts à l'action de l'Esprit Saint, ont su interpréter les « signes des temps » et répondre de manière éclairée aux exigences qui apparaissaient progressivement. Sur leurs traces, bien d'autres personnes ont cherché par la parole et par l'action à incarner l'Évangile dans leur existence, pour manifester en leur temps la vivante présence de Jésus, le Consacré par excellence et l'Apôtre du Père. Les religieux et les religieuses doivent continuer à prendre le Christ Seigneur pour modèle à toute époque, nourrissant dans la prière une profonde communion de sentiments avec Lui (cf. *Ph* 2,5-11), afin que toute leur vie soit animée d'un esprit apostolique et que toute leur action

[17] Cf. *Proposition* 4.

apostolique soit pénétrée d'un esprit de contemplation.[18]

Les Instituts séculiers

10. L'Esprit Saint, admirable artisan de la variété des charismes, a suscité en notre temps *de nouvelles expressions de la vie consacrée;* cela paraît répondre, selon un dessein providentiel, aux besoins nouveaux que rencontre aujourd'hui l'Église pour accomplir sa mission dans le monde.

On pense d'abord aux *Instituts séculiers,* dont les membres entendent *vivre la consécration à Dieu dans le monde* par la profession des conseils évangéliques dans le cadre des structures temporelles, pour être ainsi levain de la sagesse et témoins de la grâce à l'intérieur de la vie culturelle, économique et politique. Par la synthèse de la vie séculière et de la consécration qui leur est propre, ils entendent *introduire dans la société les énergies nouvelles du Règne du Christ,* en cherchant à transfigurer le monde de l'intérieur par la force des Béatitudes. De cette façon, tandis que leur totale appartenance à Dieu les consacre pleinement à son service, leur activité dans les conditions laïques ordinaires aide, sous l'action de l'Esprit, à donner une âme évangélique aux réalités séculières. Les Instituts séculiers contribuent ainsi à assurer à l'Église, selon le caractère propre de chaque Institut, une présence efficace dans la société.[19]

[18] Cf. *Proposition* 7.
[19] Cf. *Proposition* 11.

Les *Instituts séculiers cléricaux* exercent eux aussi une fonction très utile: des prêtres appartenant au presbytérium diocésain, même lorsque certains d'entre eux sont autorisés à être incardinés dans leur Institut, s'y consacrent au Christ par la pratique des conseils évangéliques selon un charisme spécifique. Ils trouvent dans les richesses spirituelles de l'Institut dont ils font partie une aide importante pour vivre intensément la spiritualité propre au sacerdoce et être ainsi des ferments de communion et de générosité apostolique parmi leurs confrères.

Les Sociétés de vie apostolique

11. Il convient de mentionner spécialement les *Sociétés de vie apostolique* ou de vie commune, masculines et féminines, qui poursuivent avec leur style propre une fin spécifique apostolique ou missionnaire. Chez nombre d'entre elles, les conseils évangéliques sont assumés par des liens sacrés que l'Église reconnaît expressément. Toutefois, même en pareil cas, la particularité de leur consécration les distingue des Instituts religieux et des Instituts séculiers. Il faut sauvegarder et promouvoir la spécificité de cette forme de vie qui, au cours des derniers siècles, a produit tant de fruits de sainteté et d'apostolat, notamment dans le domaine de la charité et de la diffusion missionnaire de l'Évangile.[20]

[20] Cf. *Proposition* 14.

12. L'éternelle jeunesse de l'Église continue à se manifester aujourd'hui encore: dans les dernières décennies, après le Concile œcuménique Vatican II, on a vu apparaître *des formes de vie consacrée nouvelles ou renouvelées*. Dans de nombreux cas, il s'agit d'Instituts semblables à ceux qui existent déjà, mais nés de nouveaux élans spirituels et apostoliques. Leur vitalité doit être confirmée par l'autorité de l'Église, à laquelle il revient de procéder aux évaluations nécessaires, tant pour éprouver l'authenticité de la finalité qui les a inspirés que pour éviter la multiplication excessive d'institutions similaires, avec le risque d'une fragmentation nocive en groupes trop petits. Dans d'autres cas, il s'agit d'expériences originales, qui sont à la recherche d'une identité propre dans l'Église et attendent d'être officiellement reconnues par le Siège apostolique, à qui seul revient le jugement définitif.[21]

Ces nouvelles formes de vie consacrée, qui s'ajoutent aux anciennes, témoignent de la puissance d'attraction que le don total au Seigneur, l'idéal de la communauté apostolique et les charismes de fondation continuent d'exercer sur la génération actuelle. Elles sont aussi le signe de la complémentarité des dons de l'Esprit Saint.

[21] Cf. *Code de Droit canonique,* can. 605; *Code des Canons des Églises orientales,* can. 571; *Proposition* 13.

Toutefois, dans la nouveauté, l'Esprit ne se contredit pas! La preuve en est que les nouvelles formes de vie consacrée n'ont pas supplanté les précédentes. Malgré une telle variété, on a pu conserver l'unité fondamentale, car il n'y a qu'un seul appel à suivre Jésus chaste, pauvre et obéissant, dans la recherche de la charité parfaite. Cet appel, comme c'est le cas dans toutes les formes de vie consacrée déjà existantes, doit être présent également dans celles qui se proposent comme nouvelles.

Finalité de l'Exhortation apostolique

13. Recueillant la moisson des travaux du Synode, je désire par cette Exhortation apostolique m'adresser à toute l'Église pour présenter non seulement aux personnes consacrées, mais aussi aux Pasteurs et aux fidèles, *les fruits d'une stimulante confrontation,* sur les développements de laquelle l'Esprit Saint n'a pas manqué de veiller par ses dons de vérité et d'amour.

En ces années de renouveau, la vie consacrée a traversé une période délicate et difficile, comme d'ailleurs d'autres formes de vie dans l'Église. Ce fut une période riche d'espérances, de tentatives et de propositions novatrices qui tendaient à donner une nouvelle force à la profession des conseils évangéliques. Mais ce fut aussi un temps marqué par des tensions et des épreuves, où des expériences pourtant généreuses n'ont pas toujours été couronnées par des résultats positifs.

Les difficultés, toutefois, ne doivent pas pousser au découragement. Il faut plutôt s'engager avec un nouvel élan, car l'Église a besoin de l'apport spirituel et apostolique d'une vie consacrée renouvelée et renforcée. Par la présente Exhortation post-synodale, je désire m'adresser aux communautés religieuses et aux personnes consacrées dans l'esprit même qui animait la lettre envoyée aux chrétiens d'Antioche par le Concile de Jérusalem, et je nourris l'espérance que puisse aujourd'hui se renouveler la même expérience qu'alors: « Lecture en fut faite et l'on se réjouit de l'encouragement qu'elle apportait » (*Ac* 15,31). De plus, je nourris également l'espérance de faire grandir la joie de tout le peuple de Dieu qui, mieux informé sur la vie consacrée, pourra rendre grâce au Tout-Puissant pour ce grand don en toute connaissance de cause.

Dans une attitude de cordiale ouverture à l'égard des Pères synodaux, j'ai tiré profit des précieuses contributions qui ont vu le jour pendant les travaux approfondis de l'assemblée, auxquels j'ai voulu être constamment présent. Durant cette période, j'ai eu le souci d'offrir à tout le Peuple de Dieu des catéchèses systématiques sur la vie consacrée dans l'Église. J'y ai proposé à nouveau les enseignements contenus dans les textes du Concile Vatican II, qui fut un point de référence éclairant pour les développements doctrinaux ultérieurs et pour la réflexion menée par le Synode durant les semaines de ses travaux intenses.[22]

[22] Cf. *Propositions* 3; 4; 6; 7; 8; 10; 13; 28; 29; 30; 35; 48.

Certain que les fils de l'Église, et en particulier les personnes consacrées, tiendront à accueillir cette Exhortation avec l'adhésion du cœur, je souhaite que la réflexion se poursuive pour permettre l'approfondissement du grand don de la vie consacrée dans la triple dimension de la consécration, de la communion et de la mission, et que les personnes consacrées, hommes et femmes, en plein accord avec l'Église et avec son Magistère, trouvent ainsi une ardeur nouvelle pour faire face spirituellement et apostoliquement aux défis qui se présentent.

CHAPITRE I

CONFESSIO TRINITATIS

AUX SOURCES CHRISTOLOGIQUES ET TRINITAIRES DE LA VIE CONSACRÉE

L'icône du Christ transfiguré

14. Le fondement évangélique de la vie consacrée est à chercher dans le rapport spécial que Jésus, au cours de son existence terrestre, établit avec certains de ses disciples, qu'il invita non seulement à accueillir le Royaume de Dieu dans leur vie, mais aussi à mettre leur existence au service de cette cause, en quittant tout et en imitant de près sa *forme de vie*.

Cette existence « christiforme », proposée à tant de baptisés au long de l'histoire, ne peut être vécue que sur la base d'une vocation spéciale et en vertu d'un don particulier de l'Esprit. En elle, la consécration baptismale est amenée à donner une réponse radicale par la *sequela Christi,* grâce à la pratique des conseils évangéliques, dont le premier et le plus grand est le lien sacré de la chasteté pour le Royaume des cieux.[23] Cette forme de la *sequela Christi,* dont l'origine est toujours l'initiative du Père, a donc une connotation

[23] Cf. *Proposition* 3, A et B.

essentiellement christologique et pneumatologique; cela lui permet d'exprimer de manière particulièrement vive le caractère *trinitaire* de la vie chrétienne, en quelque sorte anticipation de l'accomplissement *eschatologique* vers lequel tend toute l'Église.[24]

Dans l'Évangile, nombreux sont les gestes et les paroles du Christ qui éclairent le sens de cette vocation spéciale. Toutefois, pour en saisir les traits essentiels dans une vision d'ensemble, il est particulièrement utile de fixer le regard sur le visage rayonnant du Christ dans le mystère de la Transfiguration. C'est à cette « icône » que se réfère toute une tradition spirituelle ancienne, qui relie la vie contemplative à la prière de Jésus « sur la montagne ».[25] En outre, les dimensions « actives » de la vie consacrée peuvent elles-mêmes y amener aussi dans une certaine mesure, puisque la Transfiguration n'est pas seulement

[24] Cf. *Proposition* 3, C.

[25] Cf. CASSIEN: « *Secessit tamen solus in monte orare, per hoc scilicet nos instruens suæ secessionis exemplo [...] ut similiter secedamus* » — « Il partit à l'écart seul sur la montagne pour prier, en nous donnant l'exemple de cette mise à l'écart pour que nous allions de même à l'écart » (*Conlat.* 10, 6: *SC* 54, pp. 80-81); S. JÉRÔME: « *Et Christum quæras in solitudine et ores solus in monte cum Iesu* » – « Recherche le Christ dans la solitude et prie seul sur la montagne avec Jésus » (*Ep. ad Paulinum* 58, 4, 2: *PL* 22, 582); GUILLAUME DE SAINT-THIERRY: « *[Vita solitaria] ab ipso Domino familiarissime celebrata, ab eius discipulis ipso præsente concupita: cuius transfigurationis gloriam cum vidissent qui cum eo in monte sancto erant, continuo Petrus...optimum sibi iudicavit in hoc semper esse* » — « [La vie solitaire] a été pratiquée très souvent par le Seigneur lui-même, et désirée par ses disciples même en sa présence; ceux qui étaient avec lui sur la montagne sainte ayant vu la gloire de sa transfiguration, Pierre jugea immédiatement... que le mieux était pour lui de demeurer toujours en ce lieu » (*Ad fratres de Monte Dei* 11-12: *SC* 223, pp. 150-153).

une révélation de la gloire du Christ, mais une préparation à accepter sa Croix. Elle suppose une « ascension de la montagne » et une « descente de la montagne »: les disciples qui ont joui de l'intimité du Maître, un moment enveloppés par la splendeur de la vie trinitaire et par la communion des saints, sont comme emportés dans l'éternité. Puis ils sont soudain ramenés à la réalité quotidienne; ils ne voient plus que « Jésus seul » dans l'humilité de la nature humaine et ils sont invités à retourner dans la vallée, pour partager ses efforts dans la réalisation du dessein de Dieu et pour prendre avec courage le chemin de la Croix.

« Et il fut transfiguré devant eux... »

15. *« Six jours après, Jésus prend avec lui Pierre, Jacques et Jean son frère, et les emmène à l'écart, sur une haute montagne. Et il fut transfiguré devant eux: son visage resplendit comme le soleil et ses vêtements devinrent blancs comme la lumière. Et voici que leur apparurent Moïse et Élie, qui s'entretenaient avec lui.*

Pierre alors, prenant la parole, dit à Jésus:

"Seigneur, il est heureux que nous soyons ici; si tu le veux, je vais faire ici trois tentes, une pour toi, une pour Moïse et une pour Élie".

Comme il parlait encore, voici qu'une nuée lumineuse les prit sous son ombre, et voici qu'une voix disait de la nuée:

"Celui-ci est mon Fils bien-aimé, qui a toute ma faveur, écoutez-le".

À cette voix, les disciples tombèrent la face contre terre, tout effrayés.

Mais Jésus, s'approchant, les toucha et leur dit: "Relevez-vous, et n'ayez pas peur".

Et eux, levant les yeux, ne virent plus personne que lui, Jésus, seul.

Comme ils descendaient de la montagne, Jésus leur donna cet ordre: "Ne parlez à personne de cette vision, avant que le Fils de l'homme ne ressuscite d'entre les morts" » (*Mt* 17,1-9).

L'épisode de la Transfiguration marque *un moment décisif dans le ministère de Jésus.* C'est un événement révélateur qui affermit la foi dans le cœur des disciples, les prépare au drame de la Croix et anticipe la gloire de la Résurrection. Ce mystère est continuellement revécu par l'Église, peuple en marche vers la rencontre eschatologique avec son Seigneur. Comme les trois apôtres choisis, l'Église contemple le visage transfiguré du Christ, pour être fortifiée dans la foi et ne pas risquer d'être désemparée devant son visage défiguré sur la Croix. Dans les deux cas, elle est l'Épouse devant l'Époux, elle participe à son mystère, elle est entourée de sa lumière.

Cette lumière éclaire ses fils, *tous également appelés à suivre le Christ* en fondant sur Lui le sens ultime de leur vie, au point de pouvoir dire avec l'Apôtre: « Pour moi, vivre, c'est le Christ! » (*Ph* 1,21). Les personnes appelées à la vie consacrée font certainement *une expérience unique de la lumière qui émane du Verbe incarné*. En effet, la profession des conseils évangéliques fait d'eux *des signes prophétiques* pour la communauté de leurs frères et pour le monde; dès lors, ils doivent nécessairement vibrer de manière particulière aux paroles enthousiastes de Pierre: « Il est heureux que nous soyons ici! » (*Mt* 17,4). Ces paroles disent l'orientation christologique de toute la vie chrétienne. Toutefois, elles expriment avec vigueur le caractère *radical* qui donne son dynamisme profond à la vocation à la vie consacrée: comme il est beau pour nous de rester avec Toi, de nous donner à Toi, de concentrer de manière exclusive notre existence sur Toi! En effet, celui qui a reçu la grâce de cette communion d'amour spéciale avec le Christ se sent comme saisi par son éclat: Il est le « plus beau des enfants des hommes » (*Ps* 45/44,3), l'Incomparable.

« Celui-ci est mon Fils bien-aimé, écoutez-le! »

16. Les trois disciples en extase reçoivent l'appel du Père à se mettre à l'écoute du Christ, à placer en Lui toute leur confiance, à faire de Lui le centre de leur vie. La parole venue d'en haut donne une nouvelle profondeur à l'invitation à le suivre que Jésus lui-même, au début de sa vie publique, leur avait adressée, en les arrachant à leur vie ordinaire et en les accueillant dans son intimité. C'est précisément de cette grâce spéciale d'intimité que proviennent, dans la vie consacrée, la possibilité et l'exigence du don total de soi par

l'appel reçu du Xt arrache l'élu à sa vie ordinaire et le fait entrer dans l'intimité du Xt - ainsi devient possible l'exigence du don total de soi la profession des conseils évangéliques. Ces derniers, avant d'être un renoncement et même davantage, permettent *d'accueillir le mystère du Christ d'une manière spécifique,* vécue à l'intérieur de l'Église.

Dans l'unité de la vie chrétienne, en effet, les différentes vocations sont comme les rayons de l'unique lumière du Christ « qui resplendit sur le visage de l'Église ».[26] Les *laïcs,* en vertu du caractère séculier de leur vocation, reflètent le mystère du Verbe incarné surtout en ce qu'il est l'*Alfa* et l'*Oméga* du monde, fondement et mesure de la valeur de toutes les réalités créées. Les *ministres sacrés,* de leur côté, sont de vivantes images du Christ chef et pasteur, qui guide son peuple dans le temps du « déjà là et du pas encore », en attendant sa venue dans la gloire. *La vie consacrée* a le devoir de montrer le Fils de Dieu fait homme comme *le terme eschatologique vers lequel tout tend,* la splendeur face à laquelle pâlit toute autre lumière, la beauté infinie qui peut seule combler le cœur de l'homme. Dans la vie consacrée, il ne s'agit donc pas seulement de suivre le Christ de tout son cœur, en l'aimant « plus que son père ou que sa mère, plus que son fils ou que sa fille » (cf. *Mt* 10,37), comme il est demandé à chaque disciple, mais de vivre et d'exprimer cela par une *adhésion qui est « configuration » de toute l'existence au Christ,* dans une orientation radicale qui anticipe la perfection eschatologique,

[26] Conc. œcum. Vat. II, Const. dogm. *Lumen gentium,* n. 1.

selon les différents charismes et pour autant qu'il est possible d'y parvenir dans le temps.

En effet, à travers la profession des conseils, la personne consacrée ne se contente pas de faire du Christ le sens de sa vie, mais elle cherche à reproduire en elle-même, dans la mesure du possible, « la forme de vie que le Fils de Dieu a prise en entrant dans le monde ».[27] Embrassant la *virginité,* elle fait sien l'amour virginal du Christ et affirme au monde qu'Il est Fils unique, un avec le Père (cf. *Jn* 10,30; 14,11); imitant sa *pauvreté,* elle Le reconnaît comme Fils qui reçoit tout du Père et lui rend tout par amour (cf. *Jn* 17,7.10); adhérant par le sacrifice de sa liberté au mystère de son *obéissance* filiale, elle Le reconnaît comme infiniment aimé et aimant, comme Celui qui ne se complaît que dans la volonté du Père (cf. *Jn* 4,34), auquel Il est parfaitement uni et dont Il dépend tout entier.

Par cette identification et cette « configuration » au mystère du Christ, la vie consacrée réalise à un titre spécial la *confessio Trinitatis* qui caractérise toute la vie chrétienne, reconnaissant avec admiration la sublime beauté de Dieu Père, Fils et Esprit Saint, et témoignant avec joie de sa condescendance aimante pour tout être humain.

[27] *Ibid.,* n. 44.

A Patre ad Patrem: *l'initiative de Dieu*

17. La contemplation de la gloire du Seigneur Jésus dans l'icône de la Transfiguration révèle d'abord aux personnes consacrées le Père, créateur et dispensateur de tout bien, qui attire à lui (cf. *Jn* 6,44) une de ses créatures par un amour spécial et en vue d'une mission particulière. « Celui-ci est mon Fils bien-aimé qui a toute ma faveur: écoutez-le! » (*Mt* 17,5). Répondant à cet appel accompagné par un attrait intérieur, la personne appelée se confie à l'amour de Dieu qui veut l'avoir à son seul service et elle se consacre totalement à lui et à son dessein de salut (cf. *1 Co* 7,32-34).

Tel est le sens de la vocation à la vie consacrée: une initiative qui vient tout entière du Père (cf. *Jn* 15,16), qui demande à ceux qu'il a choisis la réponse d'un don total et exclusif.[28] L'expérience de cet amour gratuit de Dieu est à ce point intime et forte que la personne comprend qu'elle doit répondre par un don inconditionnel de sa vie, en consacrant tout, à ce moment-là et pour l'avenir, entre ses mains. C'est précisément pourquoi, à la suite de saint Thomas, on peut comprendre l'identité de la personne consacrée à par-

[28] Cf. Congrégation pour les Religieux et les Instituts séculiers, Instruction *Éléments essentiels de la Doctrine de l'Église sur la vie consacrée* (31 mai 1983), n. 5: *La Documentation catholique* 80 (1983), pp. 889-890.

tir de la totalité de son offrande, qui est comparable à un authentique holocauste.[29]

Per Filium: *sur les pas du Christ*

18. Le Fils, chemin qui conduit au Père (cf. *Jn* 14,6), appelle tous ceux que lui a donnés le Père (cf. *Jn* 17,9) à venir à sa suite, ce qui oriente leur existence. Mais à certains, précisément les personnes consacrées, il demande un engagement total qui comporte l'abandon de toutes choses (cf. *Mt* 19,27) pour vivre en intimité avec lui[30] et le suivre où qu'il aille (cf. *Ap* 14,4).

Dans le regard de Jésus (cf. *Mc* 10,21), « image du Dieu invisible » (*Col* 1,15), resplendissement de la gloire du Père (cf. *He* 1,3), se lit la profondeur d'un amour éternel et infini qui atteint les racines de l'être.[31] La personne qui se laisse saisir ne peut que tout abandonner et le suivre (cf. *Mc* 1,16-20; 2,14; 10,21.28). Comme Paul, elle considère tout le reste comme « désavantageux à cause de la supériorité de la connaissance du Christ Jésus » devant qui elle n'hésite pas à regarder tout « comme des déchets, afin de gagner le Christ » (*Ph* 3,8). Elle aspire à s'identifier à lui, en ayant les mêmes sentiments et la même forme de vie. Cette façon de tout abandonner et de suivre le Seigneur (cf. *Lc* 18,28)

[29] Cf. *Somme théologique* II-II, q. 186, a. 1.

[30] Cf. *Proposition* 16.

[31] Cf. JEAN-PAUL II, Exhort. ap. *Redemptionis donum* (25 mars 1984), n. 3: *AAS* 76 (1984), pp. 515-517.

constitue un programme valable pour toutes les personnes qui sont appelées et pour tous les temps.

Les conseils évangéliques, par lesquels le Christ invite certains à partager son expérience d'homme chaste, pauvre et obéissant, demandent et manifestent chez celui qui les accepte *le désir explicite d'être totalement configuré à lui.* Vivant « dans l'obéissance, sans rien de personnel et dans la chasteté »,[32] les consacrés professent que Jésus est le Modèle dans lequel toute vertu atteint la perfection. Sa forme de vie chaste, pauvre et obéissante apparaît, en effet, comme le mode le plus radical de vivre l'Évangile sur cette terre, un mode pour ainsi dire *divin,* parce qu'il a été embrassé par lui, l'Homme-Dieu, afin d'exprimer sa relation de Fils unique avec le Père et avec l'Esprit Saint. Tel est le motif pour lequel, dans la tradition chrétienne, on a toujours parlé de l'*excellence objective de la vie consacrée.*

En outre, on ne peut nier que la pratique des conseils constitue une manière particulièrement intime et féconde de prendre part aussi à la *mission du Christ,* à l'exemple de Marie de Nazareth, première disciple qui accepta de se mettre au service du dessein de Dieu par le don total d'elle-même. Toute mission commence par l'attitude même de Marie lors de l'Annonciation: « Me voici, je suis la servante du Seigneur; qu'il m'advienne selon ta parole! » (*Lc* 1,38).

[32] S. François d'Assise, *Regula bullata,* ch. I, 1.

19. « Une nuée lumineuse les prit sous son ombre » (*Mt* 17,5). Une interprétation de la Transfiguration, spirituelle et riche de sens, voit dans cette nuée l'image de l'Esprit Saint.[33]

Comme l'existence chrétienne tout entière, l'appel à la vie consacrée est lui aussi en relation étroite avec l'action de l'Esprit Saint. C'est l'Esprit qui, au cours des millénaires, pousse toujours de nouvelles personnes à percevoir l'attrait d'un choix si exigeant. Sous son action, ces personnes revivent en quelque manière l'expérience du prophète Jérémie: « Tu m'as séduit, Seigneur, et je me suis laissé séduire » (20,7). C'est l'Esprit qui suscite le désir d'une réponse totale; c'est Lui qui accompagne la croissance de ce désir, portant à son terme la réponse affirmative et soutenant ensuite son exécution fidèle; c'est Lui qui forme et façonne l'esprit de ceux qui sont appelés, en les configurant au Christ chaste, pauvre et obéissant, et en les poussant à faire leur sa mission. En se laissant guider par l'Esprit pour avancer constamment sur un chemin de purification, ils deviennent, jour après jour, *des personnes christiformes,* prolongement dans l'histoire d'une présence spéciale du Seigneur ressuscité.

Avec une pénétrante intuition, les Pères de l'Église ont qualifié ce chemin spirituel de *philoca-*

[33] *Tota Trinitas apparuit: Pater in voce, Filius in homine, Spiritus in nube clara* - « Toute la Trinité apparut, le Père dans la voix, le Fils dans l'homme, l'Esprit dans la nuée lumineuse »: S. THOMAS D'AQUIN, *Somme théologique* III, q. 45, a. 4, ad 2.

lie, d'*amour pour la beauté divine,* qui est un resplendissement de la bonté divine. La personne, amenée progressivement par la puissance de l'Esprit Saint jusqu'à la pleine configuration avec le Christ, reflète en elle un rayon de la lumière inaccessible et, dans son pèlerinage terrestre, elle chemine jusqu'à la Source inépuisable de la lumière. Ainsi la vie consacrée devient-elle une expression particulièrement forte de l'Église-Épouse qui, conduite par l'Esprit à reproduire en elle les traits de l'Époux, apparaît devant lui « toute resplendissante, sans tache ni ride ni rien de tel, mais sainte et immaculée » (*Ep* 5,27).

Le même Esprit, loin de soustraire à l'histoire des hommes les personnes appelées par le Père, les met au service de leurs frères selon les modalités propres de leur état de vie et il les pousse à accomplir des missions particulières, en rapport avec les besoins de l'Église et du monde, à travers les charismes propres des différents Instituts. C'est l'origine des multiples formes de vie consacrée, grâce auxquelles l'Église est « ornée des dons variés de ses enfants comme une épouse parée pour son époux (cf. *Ap* 21,2) »[34] et dotée d'une grande diversité de moyens pour accomplir sa mission dans le monde.

Les conseils évangéliques, don de la Trinité

20. Les conseils évangéliques sont donc avant tout *un don de la Très Sainte Trinité*. La vie con-

[34] Conc. œcum. Vat. II, Décret *Perfectæ caritatis,* n. 1.

sacrée est une annonce de ce que le Père accomplit par le Fils, dans l'Esprit, par son amour, sa bonté, sa beauté. En effet, « l'état religieux [...] fait voir d'une manière particulière l'élévation du Royaume de Dieu au-dessus de toutes les choses terrestres et ses exigences les plus hautes; il montre aussi à tous les hommes la grandeur suréminente de la puissance du Christ, qui exerce la royauté, et la puissance infinie de l'Esprit Saint qui agit dans l'Église de façon admirable ».[35]

Le premier devoir de la vie consacrée est de *rendre visibles* les merveilles opérées par Dieu dans la fragile humanité des personnes qu'il appelle. Plus que par les paroles, ces dernières témoignent de ces merveilles par le langage éloquent d'une existence transfigurée, capable de surprendre le monde. À la stupéfaction des hommes, elles répondent par l'annonce des prodiges de grâce que le Seigneur accomplit en ceux qu'il aime. Dans la mesure où la personne consacrée se laisse conduire par l'Esprit jusqu'aux sommets de la perfection, elle peut s'exclamer: « Je vois la beauté de ta grâce, j'en contemple l'éclat, j'en reflète la lumière, je suis saisi par son indicible splendeur; je suis conduit hors de moi en pensant à moi-même; je vois ce que j'étais et ce que je suis devenu, ô prodige! Je reste attentif, je suis rempli de respect pour moi-même, de révérence et de crainte, comme devant Toi-même; je ne sais que faire, devenu tout timide, où m'asseoir,

[35] Conc. œcum. Vat. II, Const. dogm. *Lumen gentium,* n. 44.

de quoi m'approcher, où reposer ces membres qui t'appartiennent, à quelle action, à quelle œuvre les employer, ces merveilles divines ».[36] Ainsi la vie consacrée devient-elle l'une des traces perceptibles laissées par la Trinité dans l'histoire, pour que les hommes puissent connaître la fascination et la nostalgie de la beauté divine.

Le reflet de la vie trinitaire dans les conseils

21. Rapporter les conseils évangéliques à la Trinité sainte et sanctifiante, c'est révéler leur sens le plus profond. En effet, ces conseils expriment l'amour porté au Père par le Fils dans l'unité de l'Esprit. En les pratiquant, la personne consacrée vit avec une intensité particulière le caractère trinitaire et christologique qui marque toute la vie chrétienne.

La *chasteté* des célibataires et des vierges, dans la mesure où elle manifeste le don à Dieu d'*un cœur sans partage* (cf. *1 Co* 7,32-34), constitue le reflet de *l'amour infini* qui relie les trois Personnes divines dans la profondeur mystérieuse de la vie trinitaire; amour dont témoigne le Verbe incarné jusqu'au don de sa vie; amour « répandu en nos cœurs par l'Esprit Saint » (*Rm* 5,5), qui pousse à une réponse d'amour total pour Dieu et pour les frères.

La *pauvreté* confesse que Dieu est l'unique vraie richesse de l'homme. Vécue à l'exemple du

[36] Siméon le Nouveau Théologien, *Hymnes,* II, vv. 19-27: *SC* 156, pp. 178-179.

Christ qui, « de riche qu'il était, s'est fait pauvre » (2 *Co* 8,9), elle devient une expression du *don total de soi* que se font mutuellement les trois Personnes divines. C'est un don qui se répand dans la création et se manifeste pleinement dans l'Incarnation du Verbe et dans sa mort rédemptrice.

L'*obéissance,* pratiquée à l'imitation du Christ, dont la nourriture était de faire la volonté du Père (cf. *Jn* 4,34), manifeste la beauté libérante d'une *dépendance filiale et non servile,* riche d'un sens de la responsabilité et animée par une confiance réciproque, qui est reflet dans l'histoire de la *correspondance dans l'amour* des trois Personnes divines.

La vie consacrée, par conséquent, est appelée à approfondir continuellement le don des conseils évangéliques par un amour toujours plus sincère et plus fort dans une dimension *trinitaire*: amour *du Christ,* qui appelle à l'intimité avec lui; amour *de l'Esprit Saint,* qui dispose l'âme à accueillir ses inspirations; amour *du Père,* origine première et but suprême de la vie consacrée.[37] Elle devient ainsi confession et signe de la Trinité, dont le mystère est montré à l'Église comme modèle et source de toute forme de vie chrétienne.

La *vie fraternelle* elle-même, en vertu de laquelle les personnes consacrées s'efforcent de vivre dans le Christ avec « un seul cœur et une

[37] Cf. JEAN-PAUL II, Discours à l'audience générale (9 novembre 1994), n. 4: *La Documentation catholique* 91 (1994), p. 1071.

seule âme » (*Ac* 4,32), se présente comme une confession trinitaire riche de sens. Elle confesse *le Père,* qui veut faire de tous les hommes une seule famille; elle confesse *le Fils incarné,* qui rassemble les rachetés dans l'unité, indiquant le chemin par son exemple, sa prière, ses paroles et surtout sa mort, source de réconciliation pour les hommes divisés et dispersés; elle confesse *l'Esprit Saint* comme principe d'unité dans l'Église où il ne cesse de susciter des familles spirituelles et des communautés fraternelles.

Consacrés comme le Christ pour le Royaume de Dieu

22. La vie consacrée « imite de plus près et représente continuellement dans l'Église »,[38] grâce à l'élan donné par l'Esprit Saint, la forme de vie que Jésus, premier consacré et premier missionnaire du Père pour son Royaume, a embrassée et proposée aux disciples qui le suivaient (cf. *Mt* 4,18-22; *Mc* 1,16-20; *Lc* 5,10-11; *Jn* 15,16). À la lumière de la consécration de Jésus, il est possible de découvrir dans l'initiative du Père, source de toute sainteté, l'origine de la vie consacrée. Jésus lui-même, en effet, est celui que « Dieu a consacré par l'Esprit Saint et rempli de sa force » (*Ac* 10,38), « celui que le Père a consacré et envoyé dans le monde » (*Jn* 10,36). Accueillant la consécration du Père, le Fils à son tour se consacre à lui pour l'humanité (cf. *Jn*

[38] Conc. œcum. Vat. II, Const. dogm. *Lumen gentium,* n. 44.

17,19): sa vie de chasteté, d'obéissance et de pauvreté exprime son adhésion filiale et totale au dessein du Père (cf. *Jn* 10,30; 14,11). Son oblation parfaite confère la portée d'une consécration à tous les événements de son existence terrestre.

Il est l'*obéissant par excellence,* descendu du ciel non pour faire sa volonté, mais la volonté de Celui qui l'a envoyé (cf. *Jn* 6,38; *He* 10,5.7). Il remet son être et son agir dans les mains du Père (cf. *Lc* 2,49). Par obéissance filiale, il adopte une forme d'esclave: « Il s'anéantit lui-même, prenant condition d'esclave [...], obéissant jusqu'à la mort, et à la mort sur une croix » (*Ph* 2,7-8). Telle est l'attitude de docilité au Père par laquelle, tout en approuvant et en défendant la dignité et la sainteté de la vie conjugale, le Christ assume la forme de vie virginale et révèle ainsi *le prix extraordinaire et la mystérieuse fécondité spirituelle de la virginité*. Sa pleine adhésion au dessein du Père se manifeste aussi dans son détachement des biens terrestres: « Il s'est fait pauvre, de riche qu'il était, afin de vous enrichir par sa pauvreté » (*2 Co* 8,9). *La profondeur de sa pauvreté* se révèle dans la parfaite oblation au Père de tout ce qui lui appartient.

La vie consacrée constitue en vérité *une mémoire vivante du mode d'existence et d'action de Jésus* comme Verbe incarné par rapport à son Père et à ses frères. Elle est tradition vivante de la vie et du message du Sauveur.

II. DE PÂQUES À LA PLÉNITUDE DES TEMPS

Du Thabor au Calvaire

23. L'événement éclatant de la Transfiguration prépare l'autre événement, tragique, mais non moins glorieux, du Calvaire. Pierre, Jacques et Jean contemplent le Seigneur Jésus entouré de Moïse et d'Élie, avec qui — selon l'Évangile de Luc — Jésus parle « de son départ, qu'il allait accomplir à Jérusalem » (9,31). Le regard des Apôtres est ainsi fixé sur Jésus qui pense à la Croix (cf. *Lc* 9,43-45). C'est sur la Croix que son amour virginal pour le Père et pour tous les hommes trouvera son expression la plus forte; sa pauvreté ira jusqu'au dépouillement total, son obéissance jusqu'au don de sa vie.

Les disciples sont invités à contempler Jésus élevé sur la Croix, où « le Verbe issu du silence »,[39] dans son silence et dans sa solitude, affirme prophétiquement la transcendance absolue de Dieu sur tous les biens créés, où il est vainqueur dans sa chair de notre péché et où il attire à lui tout homme et toute femme, donnant à chacun la vie nouvelle de la résurrection (cf. *Jn* 12,32; 19,34.37). La contemplation du Christ crucifié est une source d'inspiration pour toutes les vocations; par le don fondamental de l'Esprit, elle est à l'origine de tous les dons et, en particulier, du don de la vie consacrée.

[39] S. Ignace d'Antioche, *Lettre aux Magnésiens* 8, 2; *Patres apostolici,* éd. F.X. Funk, II, p. 237; *SC* 10, p. 87.

Après Marie, Mère de Jésus, Jean reçoit ce don, lui, le disciple que Jésus aimait, le témoin qui se trouvait au pied de la Croix avec Marie (cf. *Jn* 19,26-27). Sa décision de se consacrer totalement est le fruit de l'amour divin qui l'enveloppe, le soutient et lui remplit le cœur. Aux côtés de Marie, Jean est parmi les premiers de la longue suite d'hommes et de femmes qui, depuis les origines de l'Église jusqu'à la fin, saisis par l'amour de Dieu, se sentent appelés à suivre l'Agneau immolé et vivant partout où il va (cf. *Ap* 14,1-5).[40]

Dimension pascale de la vie consacrée

24. La personne consacrée, dans les différents états de vie suscités par l'Esprit au cours de l'histoire, fait l'expérience de la vérité de Dieu qui est Amour, d'une manière d'autant plus directe et profonde qu'elle se situe sous la Croix du Christ. Celui qui paraît aux yeux des hommes dans sa mort, défiguré et sans beauté, au point d'amener les spectateurs à se voiler le visage (cf. *Is* 53,2-3), manifeste pleinement sur la Croix la beauté et la puissance de l'amour de Dieu. Saint Augustin le célèbre ainsi: « Il est beau, le Verbe auprès de Dieu [...]. Il est beau dans le ciel, beau sur la terre [...]; beau dans ses miracles, beau dans le supplice; beau quand il appelle à la vie et beau quand il ne s'inquiète pas de la mort [...]; beau

[40] Cf. *Proposition* 3.

sur la Croix, beau dans le tombeau, beau dans le ciel [...]. Que la faiblesse de la chair ne détourne pas vos yeux de la splendeur de sa beauté! ».[41]

La vie consacrée reflète cette splendeur de l'amour, parce qu'elle fait profession, par sa fidélité au mystère du Calvaire, de croire à l'amour du Père, du Fils et de l'Esprit Saint et d'en vivre. Elle contribue ainsi à garder vivante dans l'Église la conscience que *la Croix est la surabondance de l'amour de Dieu qui se répand sur le monde*. La Croix est le grand signe de la présence salvifique du Christ, et cela spécialement dans les difficultés et les épreuves. Un grand nombre de personnes consacrées en témoignent continuellement avec un courage digne de profonde admiration, en vivant souvent dans des situations difficiles, jusqu'à la persécution et au martyre. Leur fidélité à l'unique Amour se manifeste et se fortifie dans l'humilité d'une vie cachée, dans l'acceptation des souffrances pour compléter ce qui, dans leur propre chair, « manque aux épreuves du Christ » (*Col* 1,24), dans le sacrifice silencieux, dans l'abandon à la sainte volonté de Dieu, dans la fidélité sereine même lorsque déclinent les forces et l'influence personnelle. La fidélité à Dieu suscite aussi le dévouement au prochain que les personnes consacrées vivent non sans sacrifices par l'intercession constante pour les besoins de leurs frères, par le service généreux des pauvres et des malades, par le partage des difficultés des autres,

[41] S. AUGUSTIN, *Enarr. in Psal.* 44, 3: *PL* 36, 495-496.

par leur participation active aux préoccupations et aux épreuves de l'Église.

Témoins du Christ dans le monde

25. C'est du mystère pascal que découle aussi *le sens missionnaire*, qui est une dimension inhérente à toute la vie ecclésiale. Il trouve dans la vie consacrée une réalisation spécifique. En effet, au-delà même des charismes propres des Instituts consacrés à la mission *ad gentes* ou engagés dans des activités de nature apostolique proprement dite, on peut dire que *le sens missionnaire se situe au cœur même de toutes les formes de vie consacrée*. Dans la mesure où la personne consacrée mène une vie uniquement vouée au Père (cf. *Lc* 2,49; *Jn* 4,34), saisie par le Christ (cf. *Jn* 15,16; *Ga* 1,15-16), animée par l'Esprit (cf. *Lc* 24,49; *Ac* 1,8; 2,4), elle coopère efficacement à la mission du Seigneur Jésus (cf. *Jn* 20,21), en contribuant de manière particulièrement profonde au renouveau du monde.

Le premier devoir missionnaire des personnes consacrées les concerne elles-mêmes, et elles le remplissent en ouvrant leur cœur à l'action de l'Esprit du Christ. Leur témoignage aide l'Église entière à se rappeler que le service gratuit de Dieu, qui vient en premier lieu, est rendu possible par la grâce du Christ communiquée au croyant par l'Esprit. C'est ainsi que sont annoncés au monde la paix qui vient du Père, le don de soi dont témoigne le Fils et la joie qui est fruit de l'Esprit Saint.

Les personnes consacrées seront missionnaires avant tout par le constant approfondissement de leur conscience d'avoir été appelées et choisies par Dieu, vers lequel elles doivent donc tourner toute leur vie et à qui elles doivent offrir tout ce qu'elles sont et tout ce qu'elles ont, en se libérant des entraves qui pourraient retarder la plénitude de leur réponse d'amour. Elles pourront devenir ainsi *un signe authentique du Christ dans le monde*. Leur style de vie doit aussi refléter l'idéal qu'elles professent, en se présentant comme des signes vivants de Dieu et des prédicateurs convaincants de l'Évangile, même si c'est souvent dans le silence.

L'Église doit toujours avoir le souci de *se rendre visiblement présente dans la vie quotidienne*, spécialement dans la culture contemporaine, si souvent sécularisée et cependant sensible au langage des signes. Pour cela, elle peut à bon droit attendre une contribution particulière de la part des personnes consacrées, appelées à rendre un témoignage concret de leur appartenance au Christ dans toutes les situations.

Parce que l'habit est un signe de consécration, de pauvreté et d'appartenance à une famille religieuse déterminée, avec les Pères du Synode, je recommande vivement aux religieux et aux religieuses de porter leur habit, convenablement adapté en fonction des circonstances des temps et des lieux.[42] Lorsque des exigences apostoliques justifiées le requièrent, ils pourront, conformément aux règles de leur Institut, porter aussi un vêtement simple et digne, avec un insigne adapté, de façon à rendre reconnaissable leur consécration.

Les Instituts qui, depuis leur origine et par les dispositions de leurs constitutions, ne prévoient pas d'habit particulier, veilleront à ce que les vêtements de leurs membres répondent, par leur dignité et leur simplicité, à la nature de leur vocation.[43]

Dimension eschatologique de la vie consacrée

26. Du fait qu'aujourd'hui les préoccupations de l'apostolat paraissent toujours plus urgentes et que l'engagement dans les affaires de ce monde risque d'être toujours plus absorbant, il est particulièrement opportun d'attirer l'attention sur *la nature eschatologique de la vie consacrée.*

« Où est ton trésor, là sera aussi ton cœur » (*Mt* 6,21): le trésor unique du Royaume suscite le désir, l'attente, l'engagement et le témoignage. Dans l'Église primitive, l'attente de la venue du Seigneur était vécue d'une manière particulièrement intense. Mais l'Église n'a pas cessé d'entretenir cette disposition à l'espérance au cours des siècles: elle a continué à inviter les fidèles à porter leur regard vers le salut dont la manifestation

[42] Cf. *Proposition* 25; CONC. ŒCUM. VAT. II, Décret *Perfectæ caritatis,* n. 17.

[43] Cf. *Proposition* 25.

est proche, « car elle passe, la figure de ce monde » (*1 Co* 7,31; cf. *1 P* 1,3-6).[44]

Dans cette perspective, on comprend mieux *le rôle de signe eschatologique* propre à la vie consacrée. En effet, la doctrine constante la présente comme une anticipation du Royaume à venir. Le Concile Vatican II reprend cet enseignement lorsqu'il affirme que la consécration « annonce la résurrection future et la gloire du Royaume céleste ».[45] C'est ce que fait avant tout *le choix de la virginité*, toujours entendu par la Tradition comme *une anticipation du monde définitif* qui, dès maintenant, agit en l'homme et le transforme en tout son être.

Les personnes qui ont consacré leur vie au Christ ne peuvent que vivre dans le désir de Le rencontrer, pour parvenir à être avec Lui pour toujours. De là, l'attente ardente, de là, le désir de « se plonger dans le Foyer d'amour qui brûle en elles, et qui n'est autre que l'Esprit Saint »,[46] attente et désir soutenus par les dons que le Seigneur accorde librement à ceux qui recherchent les choses d'en haut (cf. *Col* 3,1).

Le regard tourné vers les réalités du Seigneur, la personne consacrée rappelle que « nous n'avons pas ici-bas de cité permanente » (*He* 13,14), parce que « notre cité se trouve dans les

[44] Cf. CONC. ŒCUM. VAT. II, Const. dogm. *Lumen gentium,* n. 42.

[45] *Ibid.,* n. 44.

[46] B. ÉLISABETH DE LA TRINITÉ, *Le ciel dans la foi,* Traité spirituel, I, 14: *Œuvres complètes,* Paris (1991), p. 106.

cieux » (*Ph* 3,20). La seule chose nécessaire est de chercher « le Royaume et sa justice » (*Mt* 6,33), en implorant sans cesse la venue du Seigneur.

Une attente active: engagement et vigilance

27. « Viens, Seigneur Jésus! » (*Ap* 22,20). Cette attente est *tout autre que passive:* tout en se tournant vers le Royaume à venir, elle se traduit par le travail et la mission, parce que le Royaume se rend présent dès maintenant, à travers l'instauration de l'esprit des Béatitudes, propre à susciter dans la société humaine une réelle aspiration à la justice, à la paix, à la solidarité et au pardon.

Cela ressort largement de l'histoire de la vie consacrée qui a toujours produit des fruits abondants pour le monde. Par leurs charismes, les personnes consacrées deviennent signe de l'Esprit en vue d'un avenir nouveau, éclairé par la foi et par l'espérance chrétienne. *La tension eschatologique se traduit dans la mission*, afin que le Royaume s'affermisse et progresse ici et maintenant. À l'invocation « Viens, Seigneur Jésus! », s'ajoute l'autre prière: « Que ton Règne vienne! » (*Mt* 6,10).

Celui qui veille pour attendre l'accomplissement des promesses du Christ est en mesure de communiquer l'espérance à ses frères et sœurs, souvent découragés et pessimistes face à l'avenir. Son espérance se fonde sur la promesse de Dieu que contient la Parole révélée: l'histoire des hommes avance vers « le ciel nouveau et la terre nouvelle » (*Ap* 21,1), dans lesquels le Seigneur

« essuiera toute larme de leurs yeux: de mort, il n'y en aura plus; de pleur, de cri et de peine, il n'y en aura plus, car l'ancien monde s'en est allé » (*Ap* 21,4).

La vie consacrée est au service du rayonnement définitif de la gloire divine, lorsque toute chair verra le salut de Dieu (cf. *Lc* 3,6; *Is* 40,5). L'Orient chrétien souligne cet aspect, lorsqu'il désigne les moines comme *des anges de Dieu sur la terre* qui annoncent le renouveau du monde dans le Christ. En Occident, le monachisme est célébration de mémoire et de veille: *mémoire* des merveilles que Dieu fait, *veille* dans l'attente de l'accomplissement ultime de l'espérance. Le message du monachisme et de la vie contemplative redit sans cesse que la primauté de Dieu apporte à l'existence humaine une plénitude de sens et de joie, car l'homme est fait pour Dieu et il est sans repos tant qu'il ne repose en Lui.[47]

La Vierge Marie, modèle pour la consécration et pour la sequela Christi

28. Marie est celle qui, dès son immaculée conception, reflète avec la plus grande perfection la beauté divine. « Toute belle », c'est le titre sous lequel l'invoque l'Église. « La relation à la très sainte Vierge Marie, que tout fidèle entretient en conséquence de son union au Christ, ap-

[47] Cf. S. Augustin, *Confessions* I, 1: *Bibliothèque augustinienne* 13 (1962), p. 273.

paraît encore plus accentuée dans la vie des personnes consacrées. [...] Chez tous [les Instituts de vie consacrée], il y a la conviction que la présence de Marie a une importance fondamentale tant pour la vie spirituelle de toute âme consacrée, que pour la consistance, l'unité, le progrès de toute la communauté ».[48]

Marie est en effet *un exemple sublime de consécration parfaite*, par sa pleine appartenance à Dieu et par le don total d'elle-même. Choisie par le Seigneur, qui a voulu accomplir en elle le mystère de l'Incarnation, elle rappelle aux consacrés *la primauté de l'initiative de Dieu*. En même temps, ayant donné son assentiment à la Parole divine qui s'est faite chair en elle, Marie se situe comme *le modèle de l'accueil de la grâce* par la créature humaine.

Proche du Christ, avec Joseph, dans la vie cachée de Nazareth, présente auprès de son Fils dans les moments cruciaux de sa vie publique, la Vierge est maîtresse pour montrer comment suivre le Christ sans conditions et Le servir assidûment. En elle, « sanctuaire du Saint-Esprit »,[49] brille ainsi toute la splendeur de la créature nouvelle. La vie consacrée la considère comme un modèle sublime de consécration au Père, d'union avec son Fils et de docilité à l'Esprit, dans la conscience qu'embrasser « le genre de vie vir-

[48] JEAN-PAUL II, Discours à l'audience générale (29 mars 1995): *La Documentation catholique* 92 (1995), p. 428.

[49] CONC. ŒCUM. VAT. II, Const. dogm. *Lumen gentium,* n. 53.

ginale et pauvre »[50] du Christ signifie faire sien également le genre de vie de Marie.

En outre, la personne consacrée rencontre chez la Vierge une *Mère à un titre tout à fait spécial*. De fait, si la nouvelle maternité conférée à Marie au Calvaire est un don fait à tous les chrétiens, elle a une valeur singulière pour ceux qui ont consacré pleinement leur vie au Christ. « Voici ta mère » (*Jn* 19,27): les paroles de Jésus au « disciple qu'il aimait » (*Jn* 19,26) ont une profondeur particulière pour la vie de la personne consacrée. Celle-ci est en effet appelée, comme Jean, à prendre avec elle la très sainte Vierge Marie (cf. *Jn* 19,27): elle l'aimera et elle l'imitera avec la radicalité propre à sa vocation, et elle fera l'expérience, en retour, d'une tendresse maternelle toute spéciale. La Vierge lui communique l'amour qui lui permet d'offrir chaque jour sa vie pour le Christ, en coopérant avec Lui au salut du monde. C'est pourquoi le rapport filial avec Marie constitue la voie privilégiée de la fidélité à l'appel reçu et une aide très efficace pour progresser dans sa réponse et vivre en plénitude sa vocation.[51]

[50] *Ibid.,* n. 46.
[51] Cf. *Proposition* 55.

« Il est heureux que nous soyons ici »: la vie consacrée dans le mystère de l'Église

29. Lors de la Transfiguration, Pierre parle au nom des autres Apôtres: « Il est heureux que nous soyons ici » (*Mt* 17,4). L'expérience qu'il fait de la gloire du Christ, tout en ravissant son esprit et son cœur, ne l'isole pas, mais au contraire le lie plus profondément au « nous » des disciples.

Cette dimension du « nous » amène à réfléchir à la place de la vie consacrée dans *le mystère de l'Église*. Ces dernières années, la réflexion théologique sur la nature de la vie consacrée a approfondi les perspectives nouvelles découlant de la doctrine du Concile Vatican II. À sa lumière, on a pris acte de ce que la profession des conseils évangéliques *appartient indiscutablement à la vie et à la sainteté de l'Église*.[52] Cela signifie que la vie consacrée, présente dès les origines, ne pourra jamais faire défaut à l'Église, en tant qu'élément constituant et irremplaçable qui en exprime la nature même.

C'est évident du seul fait que la profession des conseils évangéliques est intimement liée au mystère du Christ, car elle a pour mission de rendre présente en quelque sorte la forme de vie que le Christ a choisie, en montrant qu'elle est

[52] Cf. CONC. ŒCUM. VAT. II, Const. dogm. *Lumen gentium,* n. 44.

une valeur absolue et eschatologique. Jésus lui-même, en appelant certaines personnes à tout abandonner pour le suivre, a inauguré cet état de vie qui, sous l'action de l'Esprit, allait se développer progressivement au cours des siècles, sous les différentes formes de la vie consacrée. La conception d'une Église composée uniquement de ministres sacrés et de laïcs ne correspond donc pas aux intentions de son divin fondateur telles qu'elles apparaissent dans les Évangiles et les autres écrits du Nouveau Testament.

La consécration nouvelle et particulière

30. Dans la tradition de l'Église, la profession religieuse est considérée comme *un approfondissement unique et fécond de la consécration baptismale* en ce que, par elle, l'union intime avec le Christ, déjà inaugurée par le Baptême, se développe pour être le don d'une conformation qu'exprime et réalise plus complètement la profession des conseils évangéliques.[53]

Cette consécration ultérieure a toutefois une particularité par rapport à la première, dont elle n'est pas *une conséquence nécessaire*.[54] En réalité, quiconque est régénéré dans le Christ est appelé à vivre, par la force qui vient du don de l'Esprit,

[53] Cf. JEAN-PAUL II, Exhort. ap. *Redemptionis donum* (25 mars 1984), n. 7: *AAS* 76 (1984), pp. 522-524.

[54] Cf. CONC. ŒCUM. VAT. II, Const. dogm. *Lumen gentium,* n. 44; JEAN-PAUL II, Discours à l'audience générale (26 octobre 1994), n. 5: *La Documentation catholique* 91 (1994), pp. 1034-1035.

la chasteté correspondant à son état de vie, l'obéissance à Dieu et à l'Église, un détachement raisonnable des biens matériels, parce que tous sont appelés à la sainteté qui réside dans la perfection de la charité.[55] Mais le baptême ne comporte pas par lui-même l'appel au célibat ou à la virginité, le renoncement à la possession des biens, l'obéissance à un supérieur, sous la forme précise des conseils évangéliques. La profession de ces conseils suppose donc un don de Dieu particulier qui n'est pas accordé à tous, ainsi que Jésus lui-même le souligne dans le cas du célibat volontaire (cf. *Mt* 19,10-12).

D'ailleurs, à cet appel correspond *un don spécifique de l'Esprit Saint*, afin que la personne consacrée puisse répondre à sa vocation et à sa mission. C'est pourquoi, comme en témoignent les liturgies de l'Orient et de l'Occident, au cours du rite de la profession monastique ou religieuse et dans la consécration des vierges, l'Église invoque sur les personnes choisies le don de l'Esprit Saint et associe leur oblation au sacrifice du Christ.[56]

La profession des conseils évangéliques est aussi *un développement de la grâce du sacrement de la Confirmation*, mais cela dépasse les exigences

[55] Cf. *ibid.*, n. 42.

[56] Cf. Rituel romain, *Rite de la Profession religieuse*: bénédiction solennelle ou consécration des profès, n. 67, et des professes, n. 72; Pontifical romain, *Rite de la Consécration des Vierges,* n. 38: prière solennelle de consécration; Eucologion sive Rituale Græcorum, *Officium parvi habitum id est Mandiæ,* pp. 384-385; Pontificale iuxta Ritum Ecclesiæ Syrorum occidentalium id est Antiochiæ, *Ordo rituum monasticorum,* Typis Polyglottis Vaticanis (1942), pp. 307-309.

normales de la consécration propre de la Confirmation en vertu d'un don particulier de l'Esprit, qui fait développer de nouvelles capacités et produire de nouveaux fruits de sainteté et d'apostolat, ainsi que le montre l'histoire de la vie consacrée.

Quant aux prêtres qui font profession des conseils évangéliques, l'expérience montre que *le sacrement de l'Ordre reçoit une fécondité particulière de cette consécration*, du fait qu'elle est une exigence et un appui pour un lien plus étroit avec le Seigneur. Le prêtre qui fait profession des conseils évangéliques est particulièrement aidé à revivre en lui la plénitude du mystère du Christ, également grâce à la spiritualité propre de son Institut et à la dimension apostolique de son charisme. En effet, chez le prêtre, la vocation au sacerdoce et la vocation à la vie consacrée se rejoignent pour former une unité profonde et dynamique.

Ce qu'apportent à la vie de l'Église les religieux prêtres intégralement consacrés à la contemplation est aussi d'une valeur incommensurable. Dans la célébration eucharistique, en particulier, ils accomplissent un acte de l'Église et pour l'Église, auquel ils unissent l'offrande d'eux-mêmes, en communion avec le Christ qui s'offre au Père pour le salut du monde entier.[57]

[57] Cf. S. Pierre Damien, *Liber qui appellatur « Dominus vobiscum » ad Leonem eremitam*: PL 145, 231-252.

31. Les différents états de vie, dans lesquels, selon la volonté du Seigneur Jésus, s'articule la vie ecclésiale, présentent des rapports mutuels et il est utile de s'y arrêter.

Tous les fidèles, en vertu de leur régénération dans le Christ, ont en commun la même dignité; tous sont appelés à la sainteté; tous participent à l'édification de l'unique Corps du Christ, chacun selon sa vocation et selon les dons reçus de l'Esprit (cf. *Rm* 12,3-8).[58] L'égale dignité de tous les membres de l'Église est l'œuvre de l'Esprit, elle est fondée sur le Baptême et sur la Confirmation, et elle est corroborée par l'Eucharistie. Mais la pluralité est aussi l'œuvre de l'Esprit. C'est lui qui fait de l'Église une communion organique dans la diversité des vocations, des charismes et des ministères.[59]

Les vocations à la vie laïque, au ministère ordonné et à la vie consacrée peuvent être considérées comme paradigmatiques, du moment que toutes les vocations particulières, d'une manière

[58] Cf. CONC. ŒCUM. VAT. II, Const. dogm. *Lumen gentium,* n. 32; *Code de Droit canonique,* can. 208; *Code des Canons des Églises orientales,* can. 11.

[59] Cf. CONC. ŒCUM. VAT. II, Décret *Ad gentes,* n. 4; Const. dogm. *Lumen gentium,* nn. 4; 12; 13; Const. past. sur l'Église dans le monde de ce temps *Gaudium et spes,* n. 32; Décret sur l'apostolat des laïcs *Apostolicam actuositatem,* n. 3; JEAN-PAUL II, Exhort. ap. post-synodale *Christifideles laici* (30 décembre 1988), nn. 20-21: *AAS* 81 (1989), pp. 425-428; CONGRÉGATION POUR LA DOCTRINE DE LA FOI, Lettre aux Évêques de l'Église catholique sur quelques aspects de l'Église comprise comme communion *Communionis notio* (28 mai 1992), n. 15: *AAS* 85 (1993), p. 847.

ou d'une autre, les rappellent ou s'y rattachent, prises séparément ou conjointement, selon la richesse du don de Dieu. En outre, elles sont au service l'une de l'autre, pour la croissance du Corps du Christ dans l'histoire et pour sa mission dans le monde. Dans l'Église, tous sont consacrés par le Baptême et par la Confirmation, mais le ministère ordonné et la vie consacrée supposent l'un et l'autre une vocation distincte et une forme spécifique de consécration, en vue d'une mission particulière.

La mission des *laïcs*, à qui il appartient « de chercher le Royaume de Dieu en gérant les affaires temporelles et en les ordonnant selon Dieu »,[60] a pour fondement propre la consécration du Baptême et de la Confirmation, commune à tous les membres du Peuple de Dieu. *Les ministres ordonnés*, en plus de cette consécration fondamentale, sont consacrés par l'Ordination pour poursuivre dans le temps le ministère apostolique. *Les personnes consacrées*, qui s'engagent dans les conseils évangéliques, reçoivent une consécration nouvelle et spéciale qui, sans être sacramentelle, les engage à adopter la forme de vie pratiquée personnellement par Jésus et proposée par Lui à ses disciples, dans le célibat, dans la pauvreté et dans l'obéissance. Même si ces différentes catégories sont la manifestation de l'unique mystère du Christ, les laïcs ont comme caractéristique propre, mais non exclusive, la sé-

[60] CONC. ŒCUM. VAT. II, Const. dogm. *Lumen gentium,* n. 31.

cularité, les pasteurs, la charge du ministère, les consacrés, la conformation spéciale au Christ chaste, pauvre et obéissant.

La valeur particulière de la vie consacrée

32. Dans cet ensemble harmonieux de dons, chacun des états de vie fondamentaux reçoit la tâche d'exprimer, dans son ordre, l'une ou l'autre des dimensions de l'unique mystère du Christ. Si *la vie laïque a une mission spécifique* pour faire entendre l'annonce évangélique dans les réalités temporelles, *ceux qui sont institués dans les Ordres sacrés*, spécialement les Évêques, *exercent un ministère irremplaçable* dans le cadre de la communion ecclésiale. Les Évêques ont le devoir de guider le Peuple de Dieu par l'enseignement de la Parole, l'administration des sacrements et l'exercice des pouvoirs sacrés au service de la communion ecclésiale, qui est une communion organique, hiérarchiquement ordonnée.[61]

Dans l'Église, en ce qui concerne sa mission de manifester la sainteté, *il faut reconnaître que la vie consacrée se situe objectivement à un niveau d'excellence*, car elle reflète la manière même dont le Christ a vécu. C'est pourquoi il y a en elle une manifestation particulièrement riche des biens évangéliques et une mise en œuvre plus complète de la finalité de l'Église, qui est la sanctification

[61] *Ibid.*, n. 12; JEAN-PAUL II, Exhort. ap. post-synodale *Christifideles laici* (30 décembre 1988), nn. 20-21: *AAS* 81 (1989), pp. 425-428.

de l'humanité. La vie consacrée annonce et anticipe en quelque sorte le temps à venir, dans lequel, une fois survenue la plénitude du Royaume des cieux qui est déjà présent maintenant en germe et dans le mystère,[62] les fils de la Résurrection ne prendront plus ni femme ni mari, mais seront comme des anges de Dieu (cf. *Mt* 22,30).

En effet, l'excellence de la chasteté parfaite pour le Royaume,[63] considérée à bon droit comme la « porte » de toute la vie consacrée,[64] fait partie de l'enseignement constant de l'Église. Par ailleurs, l'Église porte une grande estime à la vocation au mariage, dans laquelle les époux « sont témoins et coopérateurs de la fécondité de la Mère Église, en signe et en participation de l'amour dont le Christ a aimé son Épouse et s'est livré pour elle ».[65]

Dans cette perspective commune à toute la vie consacrée, on peut distinguer des voies différentes mais complémentaires. Les religieux et les religieuses *entièrement consacrés à la contemplation* sont de manière spéciale des images du Christ qui s'adonne à la contemplation sur la montagne.[66] Les personnes consacrées de *vie active* le représentent tandis qu'il « annonce aux foules le

[62] Cf. CONC. ŒCUM. VAT. II, Const. dogm. *Lumen gentium,* n. 5.

[63] Cf. CONC. DE TRENTE, Session XXIV, can. 10: *DS* 1810; PIE XII, Encycl. *Sacra virginitas* (25 mars 1954): *AAS* 46 (1954), p. 176.

[64] Cf. *Proposition* 17.

[65] CONC. ŒCUM. VAT. II, Const. dogm. *Lumen gentium,* n. 41.

[66] Cf. *Ibid.,* n. 46.

Royaume de Dieu, ou qu'il guérit les malades et les blessés, ou qu'il amène les pécheurs à se tourner vers le bien, ou qu'il bénit les enfants et fait du bien à tous ».[67]. Les personnes consacrées dans les *Instituts séculiers* servent à leur manière propre l'avènement du Royaume de Dieu; elles font une synthèse spécifique des valeurs de la consécration et de celles de la sécularité. En vivant leur consécration dans le siècle et à partir du siècle,[68] elles « s'efforcent [...] d'imprégner toutes choses d'esprit évangélique pour fortifier et développer le Corps du Christ ».[69] À cette fin, elles participent à la tâche d'évangélisation de l'Église par le témoignage personnel d'une vie chrétienne, par leurs engagements qui ont pour but d'ordonner les réalités temporelles selon Dieu, par leur coopération selon leur propre mode de vie séculier au service de la communauté ecclésiale.[70]

Témoigner de l'Évangile des Béatitudes

33. Une fonction particulière de la vie consacrée est de *maintenir vive chez les baptisés la conscience des valeurs fondamentales de l'Évangile*, en

[67] *Ibid.*

[68] Cf. PIE XII, Motu proprio *Primo feliciter* (12 mars 1948), n. 6: *AAS* 40 (1948), p. 285.

[69] *Code de Droit canonique,* can. 713, § 1; cf. *Code des Canons des Églises orientales,* can. 563, § 2.

[70] Cf. *Code de Droit canonique,* can. 713, § 2. Dans le même canon 713, au § 3, figure une indication spécifique pour les « membres clercs » des Instituts séculiers.

rendant « le témoignage éclatant et éminent que le monde ne peut être transfiguré et offert à Dieu sans l'esprit des Béatitudes ».[71] Ainsi, la vie consacrée rend continuellement présente dans la conscience du peuple de Dieu l'exigence de répondre par la sainteté de la vie à l'amour de Dieu répandu dans les cœurs par l'Esprit Saint (cf. *Rm* 5,5), en reflétant dans le comportement la consécration sacramentelle que Dieu opère par le Baptême, par la Confirmation ou par l'Ordre. Il convient, en effet, de passer de la sainteté conférée par les sacrements à la sainteté de la vie quotidienne. La vie consacrée, de par son existence même dans l'Église, se met au service de la consécration de la vie de tous les fidèles, laïcs et clercs.

D'autre part, on ne doit pas oublier que le témoignage propre des autres vocations apporte aussi aux consacrés un soutien pour vivre intégralement leur adhésion au mystère du Christ et de l'Église dans ses multiples dimensions. En vertu de cet enrichissement réciproque, la mission de la vie consacrée devient plus éloquente et plus efficace: montrer aux autres frères et sœurs, en gardant les yeux fixés sur la paix future, le but qui est la béatitude définitive auprès de Dieu.

L'image expressive de l'Église-Épouse

34. La signification sponsale de la vie consacrée prend un relief particulier, car elle évoque la

[71] *Ibid.*, n. 31.

nécessité pour l'Église de vivre pleinement et exclusivement vouée à son Époux dont elle reçoit tout bien. Dans cette dimension sponsale, propre à toute la vie consacrée, c'est surtout la femme qui se retrouve spécialement elle-même, y découvrant en quelque sorte la valeur propre de sa relation avec le Seigneur.

À ce sujet, il y a dans le Nouveau Testament une page très suggestive qui présente Marie avec les Apôtres au Cénacle, dans l'attente priante de l'Esprit Saint (cf. *Ac* 1,13-14). On peut y voir une image expressive de l'Église-Épouse, attentive aux signes venant de l'Époux et prête à l'accueillir comme un don. Chez Pierre et chez les autres Apôtres apparaît surtout la dimension de la fécondité, telle qu'elle se traduit dans le ministère ecclésial, qui se fait l'instrument de l'Esprit pour engendrer de nouveaux fils en dispensant la Parole, en célébrant les Sacrements et en conduisant l'action pastorale. En Marie est particulièrement vive la dimension d'accueil sponsal, par lequel l'Église fait fructifier en elle la vie divine par son amour virginal et total.

La vie consacrée a toujours été située de manière privilégiée aux côtés de Marie, la Vierge épouse. De cet amour virginal résulte une fécondité particulière, qui contribue à la naissance et à la croissance de la vie divine dans les cœurs.[72] La

[72] Sainte Thérèse de l'Enfant Jésus, *Manuscrits autobiographiques,* B, 2 v°: « Être ton épouse, ô Jésus, [...] être, par mon union avec toi, la mère des âmes ».

personne consacrée, sur les traces de Marie, nouvelle Ève, réalise sa fécondité spirituelle en se faisant accueillante à la Parole, pour coopérer à la construction de l'humanité nouvelle par son dévouement inconditionnel et par son vivant témoignage. L'Église manifeste ainsi pleinement sa maternité par la communication de l'action divine, confiée à Pierre, et par l'accueil responsable du don divin, caractéristique de Marie.

Pour sa part, le peuple chrétien trouve dans le ministère ordonné les moyens du salut, dans la vie consacrée un stimulant pour être pleinement disponible par amour à toutes les formes de diaconie.[73]

IV. GUIDÉS PAR L'ESPRIT DE SAINTETÉ

Une existence « transfigurée »: l'appel à la sainteté

35. « À cette voix, les disciples tombèrent la face contre terre, tout effrayés » (*Mt* 17,6). Dans le récit de la Transfiguration, les Synoptiques, avec différentes nuances, mettent en évidence le sentiment de crainte qui saisit les disciples. La fascination qu'exerce sur eux le visage transfiguré du Christ n'empêche pas qu'ils se sentent effrayés devant la majesté divine qui les dépasse. Quand l'homme entrevoit la gloire de Dieu, il fait toujours l'expérience de sa petitesse et il éprouve un

[73] Cf. CONC. ŒCUM. VAT. II, Décret *Perfectæ caritatis,* nn. 8; 10; 12.

sentiment de frayeur. Cette crainte est salutaire. Elle rappelle à l'homme la perfection divine et, en même temps, s'impose à lui comme un appel fort à la « sainteté ».

Tous les enfants de l'Église, appelés par le Père à « écouter » le Christ, ne peuvent que percevoir *une exigence profonde de conversion et de sainteté*. Mais, comme cela a été souligné au Synode, cette exigence intéresse en premier lieu la vie consacrée. En effet, la vocation des personnes consacrées à chercher avant tout le Royaume de Dieu est, en priorité, un appel à la pleine conversion, par le renoncement à soi-même pour vivre entièrement du Seigneur, afin que Dieu soit tout en tous. Appelés à contempler le visage transfiguré du Christ et à en être les témoins, les consacrés sont aussi appelés à une existence « transfigurée ».

À ce sujet, ce qui a été exprimé dans le *Rapport final* de la deuxième Assemblée extraordinaire du Synode est très significatif: « À travers toute l'histoire de l'Église, les saints et les saintes ont toujours été source et origine de renouvellement dans les circonstances les plus difficiles. Aujourd'hui, nous avons grand besoin de saints qu'il faut inlassablement demander à Dieu. Les Instituts de vie consacrée doivent avoir conscience, dans leur profession des conseils évangéliques, de leur mission spéciale dans l'Église d'aujourd'hui, et nous, nous devons les encourager dans leur mission ».[74] Les Pères de cette neuvième Assemblée synodale font écho à ces avis en déclarant: « La vie consacrée a été, à travers l'histoire de l'Église, une présence vive de cette action de l'Esprit, comme un espace privilégié d'amour de Dieu et du prochain témoignant du projet divin de faire de toute l'humanité, dans la civilisation de l'amour, la grande famille des fils de Dieu ».[75]

L'Église a toujours vu dans la profession des conseils évangéliques une voie privilégiée vers la sainteté. Les expressions mêmes par lesquelles elle la qualifie — école du service du Seigneur, école d'amour et de sainteté, chemin ou état de perfection — montrent l'efficacité et la richesse des moyens propres de cette forme de vie évangélique, ainsi que l'engagement particulier de ceux qui l'embrassent.[76] Ce n'est pas sans raison qu'un si grand nombre de consacrés ont laissé au cours des siècles des témoignages éloquents de sainteté et qu'ils ont mené à bien des initiatives d'évangélisation et de service particulièrement généreuses et exigeantes.

[74] Synode des Évêques, IIe Assemblée générale extraordinaire, Rapport final *Ecclesia sub Verbo Dei mysteria Christi celebrans pro salute mundi* (7 décembre 1985), II A, n. 4: *La Documentation catholique* 83 (1986), p. 38.

[75] Synode des Évêques, IXe Assemblée générale ordinaire, *Message final du Synode* (27 octobre 1994), IX: *La Documentation catholique* 91 (1994), p. 985.

[76] Cf. S. Thomas d'Aquin, *Somme théologique* II-II, q. 184, a. 5, ad 2; II-II, q. 186, a. 2, ad 1.

36. Dans la *sequela Christi* et dans l'amour pour la personne du Christ, certains points touchant au progrès de la sainteté dans la vie consacrée méritent spécialement d'être mis en relief aujourd'hui.

Il est avant tout demandé *d'être fidèle au charisme fondateur* et au patrimoine spirituel ensuite constitué dans chaque Institut. Cette fidélité à l'inspiration des fondateurs et des fondatrices, don de l'Esprit Saint, permet précisément de retrouver et de revivre avec ferveur les éléments essentiels de la vie consacrée.

En effet, tout charisme comporte constitutivement une triple orientation: *vers le Père*, d'abord, avec le désir de rechercher filialement sa volonté dans une conversion continuelle, où l'obéissance est une source de vraie liberté, où la chasteté exprime la tension d'un cœur qu'aucun amour fini ne satisfait, où la pauvreté nourrit la faim et la soif de justice que Dieu a promis de rassasier (cf. *Mt* 5,6). Dans cette perspective, le charisme de tout Institut incitera la personne consacrée à être toute à Dieu, à parler avec Dieu ou de Dieu, comme on le dit de saint Dominique,[77] pour goûter comme est bon le Seigneur (cf. *Ps* 34/33,9) dans toutes les situations.

[77] Cf. *Libellus de principiis Ordinis Prædicatorum. Acta Canonizationis Sancti Dominici*: *Monumenta Ordinis Prædicatorum historica* 16 (1935), p. 30.

Les charismes de la vie consacrée comprennent également une orientation *vers le Fils*, avec lequel ils invitent à entretenir une communion de vie intime et joyeuse, à l'école de sa générosité au service de Dieu et de ses frères. « Le regard progressivement *christifié* apprend ainsi à se détacher des apparences, du tourbillon des sens, de tout ce qui empêche l'homme d'atteindre une légèreté apte à se laisser saisir par l'Esprit »,[78] et cela permet de partir en mission avec le Christ, de travailler et de souffrir avec Lui pour coopérer à l'annonce de son Royaume.

Enfin, tout charisme comporte une orientation *vers l'Esprit Saint*, car il invite la personne à se laisser guider et soutenir par Lui, dans son propre chemin spirituel comme dans la vie de communion et dans l'action apostolique, pour vivre dans l'attitude de service qui doit inspirer tous les choix du chrétien authentique.

En effet, c'est toujours cette triple relation qui ressort, bien que sous les traits particuliers des divers modèles de vie, de tous les charismes fondateurs, du fait même qu'en eux domine « un désir profond de l'âme de se conformer au Christ pour témoigner de quelque aspect de son mystère »;[79] et c'est là un caractère appelé à se concrétiser et à se développer dans la tradition la plus

[78] JEAN-PAUL II, Lettre ap. *Orientale lumen* (2 mai 1995), n. 12: *AAS* 87 (1995), p. 758.

[79] CONGRÉGATION POUR LES RELIGIEUX et LES INSTITUTS SÉCULIERS et CONGRÉGATION POUR LES ÉVÊQUES, Directives pour les Rapports entre les Évêques et les Religieux dans l'Église *Mutuæ relationes* (14 mai 1978), n. 51: *AAS* 70 (1978), p. 500.

authentique de l'Institut, conformément aux règles, aux constitutions et aux statuts.[80]

Fidélité et créativité

37. Les Instituts sont donc invités à retrouver avec courage l'esprit entreprenant, l'inventivité et la sainteté des fondateurs et des fondatrices, en réponse aux « signes des temps » qui apparaissent dans le monde actuel.[81] Il s'agit là surtout d'un appel à persévérer sur la voie de la sainteté, à travers les difficultés matérielles et spirituelles rencontrées dans les vicissitudes quotidiennes. Mais c'est aussi un appel à acquérir une bonne compétence dans son travail et à garder une fidélité dynamique dans sa mission, en adaptant lorsque c'est nécessaire les modalités aux situations nouvelles et aux besoins différents, en pleine docilité à l'inspiration divine et au discernement ecclésial. En tout cas, il faut rester fermement convaincu que chercher à se conformer toujours plus pleinement au Seigneur, c'est la condition d'authenticité de tout renouveau qui veut rester fidèle à l'inspiration des origines.[82]

Dans cet esprit, il apparaît aujourd'hui nécessaire pour tous les Instituts de *renouveler leur considération de la Règle*, parce que, dans cette dernière et dans les constitutions, un itinéraire est tracé pour la *sequela Christi*, correspondant à un charisme propre

[80] Cf. *Proposition* 26.
[81] Cf. *Proposition* 27.
[82] Cf. Conc. œcum. Vat. II, Décret *Perfectæ caritatis,* n. 2.

authentifié par l'Église. Une plus grande prise en considération de la Règle ne manquera pas de donner aux personnes consacrées des critères sûrs pour chercher les formes appropriées d'un témoignage qui réponde aux exigences de l'époque sans s'éloigner de l'inspiration initiale.

Prière et ascèse: le combat spirituel

38. L'appel à la sainteté ne peut être entendu et suivi que *dans le silence de l'adoration* devant la transcendance infinie de Dieu: « Nous devons confesser que nous avons tous besoin de ce silence chargé de présence adorée: la théologie, pour pouvoir mettre pleinement en valeur son âme sapientiale et spirituelle, la prière, pour qu'elle n'oublie jamais que voir Dieu signifie descendre de la montagne avec un visage si rayonnant qu'il faut le couvrir avec un voile (cf. *Ex* 34,33) [...]; l'engagement, pour renoncer à s'enfermer dans une lutte sans amour ni pardon. [...] Tous, croyants et non-croyants, ont besoin d'apprendre la valeur du silence qui permet à l'Autre de parler, quand et comme il le voudra, et qui nous permet, à nous, de comprendre cette parole ».[83] Dans la pratique, cela suppose une grande fidélité à la prière liturgique et personnelle, aux temps consacrés à l'oraison mentale et à la contemplation, à l'adoration eucharistique, aux retraites mensuelles et aux exercices spirituels.

[83] JEAN-PAUL II, Lettre ap. *Orientale lumen* (2 mai 1995), n. 16: *AAS* 87 (1995), p. 762.

Il faut aussi redécouvrir *les moyens de l'ascèse,* caractéristiques de la tradition spirituelle de l'Église et de chaque Institut. Ils ont constitué, et ils constituent toujours, un soutien puissant pour un cheminement authentique vers la sainteté. L'ascèse, aidant à dominer et à corriger les tendances de la nature humaine blessée par le péché, est vraiment indispensable pour que la personne consacrée reste fidèle à sa vocation et suive Jésus sur le chemin de la Croix.

Il est aussi nécessaire de déceler et de surmonter certaines tentations qui se présentent parfois, par ruse diabolique, sous les apparences du bien. Ainsi, par exemple, le besoin légitime de connaître la société actuelle pour répondre à ses défis peut amener à céder aux modes du moment, en diminuant la ferveur spirituelle ou en provoquant le découragement. L'accès à une formation spirituelle plus élevée pourrait pousser les personnes consacrées à un certain sentiment de supériorité par rapport aux autres fidèles, tandis que l'urgence d'une qualification légitime et nécessaire peut se transformer en une recherche excessive d'efficacité, comme si le service apostolique dépendait surtout des moyens humains et non de Dieu. Le désir louable de se rendre proche des hommes et des femmes de notre temps, croyants et non-croyants, pauvres et riches, peut conduire à adopter un style de vie sécularisé ou à promouvoir les valeurs humaines dans un sens uniquement horizontal. Le partage des attentes légitimes de son peuple ou de sa culture pourrait amener à embrasser certaines formes de nationalisme ou à adopter des coutumes qu'il faut au contraire purifier et parfaire à la lumière de l'Évangile.

Le chemin qui mène à la sainteté comporte donc *l'acceptation du combat spirituel*. C'est une exigence à laquelle actuellement on n'accorde pas toujours l'attention qu'elle mérite. La tradition a souvent vu le combat spirituel sous la figure du combat de Jacob aux prises avec le mystère de Dieu, qu'il affronte pour obtenir sa bénédiction et pour parvenir à en avoir la vision (cf. *Gn* 32,23-31). Dans cet épisode des origines de l'histoire biblique, les personnes consacrées peuvent lire le symbole de l'engagement ascétique nécessaire pour élargir leur cœur et l'ouvrir au Seigneur et à leurs frères.

Promouvoir la sainteté

39. Aujourd'hui plus que jamais, il est indispensable que les personnes consacrées renouvellent leur engagement dans la sainteté *pour aider et soutenir en tout chrétien la recherche de la perfection*. « Il est donc nécessaire de susciter chez tous les fidèles une réelle aspiration à la sainteté, un fort désir de conversion et de renouveau personnel, dans un climat de prière toujours plus intense et de solidarité dans l'accueil du prochain, particulièrement des plus démunis ».[84]

Les personnes consacrées, dans la mesure où elles approfondissent leur amitié avec Dieu, se

[84] Jean-Paul II, Lettre ap. *Tertio millennio adveniente* (10 novembre 1994), n. 42: *AAS* 87 (1995), p. 32.

disposent à aider leurs frères et sœurs grâce à de bonnes initiatives d'ordre spirituel, telles que des écoles d'oraison, des exercices et des retraites spirituels, des journées de solitude, l'écoute et la direction spirituelle. On accompagne ainsi les progrès dans la prière de personnes qui pourront alors opérer un meilleur discernement de la volonté de Dieu sur elles et faire les choix courageux, parfois héroïques, que demande la foi. En effet, les personnes consacrées, « par leur être le plus profond, se situent dans le dynamisme de l'Église, assoiffée de l'Absolu de Dieu, appelée à la sainteté. C'est de cette sainteté qu'elles témoignent ».[85] Le fait que tous soient appelés à devenir des saints ne peut que stimuler davantage ceux qui, en raison de leur choix de vie, ont la mission de rappeler aux autres cet appel.

« Relevez-vous, et n'ayez pas peur »: une confiance renouvelée

40. « Jésus, s'approchant, les toucha et leur dit: "Relevez-vous, et n'ayez pas peur" » (*Mt* 17,7). Comme les trois Apôtres lors de la Transfiguration, les personnes consacrées savent d'expérience que leur vie n'est pas toujours illuminée par la ferveur sensible qui fait s'écrier: « Il est heureux que nous soyons ici » (*Mt* 17,4). C'est cependant toujours une vie que la main du

[85] PAUL VI, Exhort. ap. *Evangelii nuntiandi* (8 décembre 1975), n. 69: *AAS* 68 (1976), p. 58.

Christ « touche », que sa voix rejoint, que sa grâce soutient.

« Relevez-vous, et n'ayez pas peur ». Cet encouragement du Maître est évidemment adressé à tout chrétien. Mais il vaut à plus forte raison pour ceux qui ont été appelés à « tout quitter » et donc à « tout risquer » pour le Christ. Cela vaut spécialement chaque fois que l'on descend de la « montagne » avec le Maître pour prendre la route qui mène du Thabor au Calvaire.

En disant que Moïse et Élie parlaient avec le Christ de son mystère pascal, de manière significative, Luc emploie le mot « départ » (*éxodos*): ils « *parlaient de son départ, qu'il allait accomplir à Jérusalem* » (*Lc* 9,31). « Exode », terme clé de la Révélation, auquel toute l'histoire du salut se réfère et qui exprime la signification profonde du mystère pascal. Ce thème est particulièrement cher à la spiritualité de la vie consacrée dont il dit bien le sens. Il comprend certes ce qui relève du *mysterium Crucis*. Mais, dans la perspective du Thabor, cette « route de l'exode » exigeante apparaît située entre deux lumières: la lumière anticipatrice de la Transfiguration et la lumière définitive de la Résurrection.

La vocation à la vie consacrée — dans la perspective de l'ensemble de la vie chrétienne —, malgré ses renoncements et ses épreuves, ou plutôt à cause d'eux, est *une route « de lumière »*, sur laquelle veille le regard du Rédempteur: « *Relevez-vous, et n'ayez pas peur* ».

CHAPITRE II

SIGNUM FRATERNITATIS

LA VIE CONSACRÉE, SIGNE DE COMMUNION DANS L'ÉGLISE

I. VALEURS PERMANENTES

À l'image de la Trinité

41. Au cours de sa vie terrestre, le Seigneur Jésus a appelé ceux qu'Il voulait, pour les garder près de Lui et les préparer à vivre, à son exemple, pour le Père et pour la mission qu'Il avait reçue (cf. *Mc* 3,13-15). Il donnait ainsi naissance à la nouvelle famille qui devait réunir au long des siècles ceux qui seraient prêts à « faire la volonté de Dieu » (cf. *Mc* 3,32-35). Après l'Ascension, grâce au don de l'Esprit, il se constitua autour des Apôtres une communauté fraternelle rassemblée dans la louange de Dieu et dans une expérience concrète de communion (cf. *Ac* 2,42-47; 4,32-35). La vie de cette communauté et, plus encore, l'expérience des Douze qui avaient tout partagé avec le Christ, ont été constamment *le modèle dont l'Église s'est inspirée* quand elle a voulu revivre la ferveur des origines et poursuivre

son chemin dans l'histoire avec une vigueur évangélique renouvelée.[86]

En réalité, *l'Église est essentiellement mystère de communion,* « peuple uni de l'unité du Père, du Fils et de l'Esprit Saint ».[87] La vie fraternelle tend à refléter la profondeur et la richesse de ce mystère, en se construisant comme un espace humain habité par la Trinité, qui prolonge ainsi dans l'histoire les dons de communion propres aux trois Personnes divines. Dans la vie ecclésiale, nombreux sont les cadres et les modalités d'expression de la communion fraternelle. La vie consacrée a certainement le mérite d'avoir contribué efficacement à maintenir dans l'Église l'exigence de la fraternité comme confession de la Trinité. En favorisant constamment l'amour fraternel, notamment sous la forme de la vie commune, elle a montré que *la participation à la communion trinitaire peut changer les rapports humains* et créer un nouveau type de solidarité. De cette manière, elle fait voir aux hommes la beauté de la communion fraternelle et les voies qui y conduisent concrètement. En effet, les personnes consacrées vivent « pour » Dieu et « de » Dieu, et c'est pourquoi elles peuvent confesser la puissance de l'action réconciliatrice de la grâce, qui anéantit les forces de division présentes dans le cœur de l'homme et dans les rapports sociaux.

[86] Cf. Conc. œcum. Vat. II, Décret *Perfectæ caritatis,* n. 15; S. Augustin, *Regula ad servos Dei,* 1, 1: *PL* 32, 1372.

[87] S. Cyprien, *De Oratione Dominica,* 23: *PL* 4, 553; cf. Conc. œcum. Vat. II, Const. dogm. *Lumen gentium,* n. 4.

42. La vie fraternelle, comprise comme une vie partagée dans l'amour, est un signe expressif de la communion ecclésiale. Elle est cultivée avec grand soin par les Instituts religieux et les Sociétés de vie apostolique, où la vie communautaire prend un sens particulier.[88] Mais la dimension de la communion fraternelle n'est pas étrangère non plus aux Instituts séculiers ni aux formes individuelles de vie consacrée. Les ermites, dans la profondeur de leur solitude, ne se soustraient pas à la communion ecclésiale, mais ils la servent par leur charisme contemplatif spécifique; les vierges consacrées dans le monde vivent leur consécration dans une véritable relation de communion avec l'Église particulière et universelle. Il en va de même pour les veuves et les veufs consacrés.

Toutes ces personnes, en vivant leur condition évangélique de disciples, s'engagent à pratiquer le « commandement nouveau » du Seigneur, en s'aimant les unes les autres comme Il nous a aimés (cf. *Jn* 13,34). L'amour a conduit le Christ au don de lui-même jusqu'au sacrifice suprême de la Croix. Parmi les disciples aussi, *il n'y a pas d'unité vraie sans cet amour mutuel inconditionnel,* qui demande d'être disposé à servir sans mesure, disponible pour accueillir l'autre comme il est, sans « le juger » (cf. *Mt* 7,1-2), capable de pardonner même « soixante-dix fois sept

[88] Cf. *Proposition* 20.

fois » (*Mt* 18,22). Pour les personnes consacrées, unies en « un seul cœur et une seule âme » (*Ac* 4,32) grâce à cet amour répandu dans les cœurs par l'Esprit Saint (cf. *Rm* 5,5), cela devient une exigence intérieure de *mettre tout en commun,* les biens matériels et les expériences spirituelles, les talents et les inspirations, de même que les idéaux apostoliques et le service caritatif: « Dans la vie communautaire, la force de l'Esprit qui est en une personne se communique à tous en même temps [...]. On y bénéficie de ses propres dons, on les multiplie en les communiquant aux autres, et l'on jouit ainsi des dons d'autrui comme des siens propres ».[89]

Dans la vie de communauté, on doit pouvoir en quelque sorte saisir que la communion fraternelle, avant d'être un moyen pour une mission déterminée, *est un lieu théologal* où l'on peut faire l'expérience de la présence mystique du Seigneur ressuscité (cf. *Mt* 18,20).[90] Cela se réalise grâce à l'amour mutuel de ceux qui composent la communauté, amour nourri par la Parole et par l'Eucharistie, purifié par le Sacrement de la Réconciliation, soutenu par la prière pour l'unité, don de l'Esprit à ceux qui se mettent à l'écoute obéissante de l'Évangile. C'est précisément Lui, l'Esprit, qui introduit l'âme dans la communion avec le Père et avec son Fils Jésus Christ (cf. *1 Jn* 1,3), communion qui est source de la vie

[89] S. Basile, *Les Grandes Règles*, Quest. 7,2: *PG* 31, 931.
[90] Cf. S. Basile, *Les Petites Règles*, Quest. 225: *PG* 31, 1231.

fraternelle. Par l'Esprit, les communautés de vie consacrée sont guidées dans l'accomplissement de leur mission de service de l'Église et de toute l'humanité, selon leur intuition originelle.

Dans cette perspective, les « Chapitres » généraux ou particuliers (ou les réunions analogues), revêtent une importance spéciale; dans de tels cadres, chaque Institut est appelé à élire les Supérieurs ou les Supérieures, suivant les normes fixées par les Constitutions, et à discerner, à la lumière de l'Esprit, les modalités qui conviennent pour conserver et actualiser, dans les différentes situations historiques et culturelles, son charisme et son patrimoine spirituel propres.[91]

La responsabilité de l'autorité

43. Dans la vie consacrée, *le rôle des Supérieurs et des Supérieures,* généraux et locaux également, a toujours eu une grande importance pour la vie spirituelle comme pour la mission. En ces années de recherche et de mutations, on a parfois ressenti la nécessité d'une révision de cette fonction. Mais il faut reconnaître que ceux qui exercent l'autorité *ne peuvent pas renoncer à leurs devoirs* de premiers responsables de la communauté, comme guides des frères et des sœurs sur leur chemin spirituel et apostolique.

[91] Cf. CONGRÉGATION DES RELIGIEUX ET DES INSTITUTS SÉCULIERS, Instruction *Éléments essentiels de la Doctrine de l'Église sur la vie consacrée* (31 mai 1983), n. 51: *La Documentation catholique* 80 (1983), p. 983; *Code de Droit canonique,* can. 631, § 1; *Code des Canons des Églises orientales,* can. 512, § 1.

Il n'est pas facile, dans des milieux fortement marqués par l'individualisme, de faire reconnaître et d'accueillir le rôle que l'autorité exerce au profit de tous. Il faut cependant réaffirmer l'importance de cette charge, qui se révèle nécessaire précisément pour consolider la communion fraternelle et pour ne pas rendre vaine l'obéissance professée. Si l'autorité doit être avant tout fraternelle et spirituelle et si, en conséquence, ceux qui en sont revêtus doivent savoir, par le dialogue, impliquer leurs confrères et leurs consœurs dans le processus de décision, il convient toutefois de se rappeler que *le dernier mot appartient à l'autorité,* à laquelle il revient ensuite de faire respecter les décisions prises.[92]

Le rôle des personnes âgées

44. L'attention pour les anciens et les malades a un rôle important dans la vie fraternelle, surtout à une époque comme la nôtre où, dans certaines régions du monde, le nombre de personnes consacrées désormais avancées en âge augmente. Les égards empressés qu'elles méritent ne répondent pas seulement à un juste devoir de charité et de reconnaissance, mais ils expriment aussi la conviction que leur témoignage est très utile à

[92] Cf. Congrégation pour les Instituts de Vie consacrée et les Sociétés de Vie apostolique, Instruction *La vie fraternelle en Communauté « Congregavit nos in unum Christi amor »* (2 février 1994), nn. 47-53: *La Documentation catholique* 91 (1994), pp. 425-426; *Code de Droit canonique*, can. 618; *Proposition* 19.

l'Église comme aux Instituts et que leur mission demeure valable et méritoire, même si, pour des motifs d'âge ou d'infirmité, elles ont dû abandonner leur emploi. *Elles ont certainement à donner beaucoup de sagesse et d'expérience* à la communauté, si celle-ci sait leur demeurer proche, les entourer de prévenance et les écouter.

En réalité, la mission apostolique, avant d'être action, consiste en un témoignage de remise totale de soi à la volonté salvifique du Seigneur, en puisant aux sources de l'oraison et de la pénitence. Les anciens peuvent donc être appelés de multiples manières à vivre leur vocation: la prière assidue, le consentement patient à sa condition, la disponibilité pour servir comme directeur spirituel, comme confesseur et comme guide dans la prière.[93]

À l'image de la communauté apostolique

45. La vie fraternelle est un élément fondamental du cheminement spirituel des personnes consacrées, pour qu'elles se renouvellent constamment et pour qu'elles accomplissent pleinement leur mission dans le monde: cela découle des motivations théologiques qui en sont la base, et l'expérience elle-même en donne une ample confirmation. J'exhorte donc les personnes consacrées à la cultiver avec zèle, selon l'exemple des premiers chrétiens de Jérusalem, qui étaient assidus à l'écoute de l'enseignement des Apôtres, à la prière commune, à la participation à

[93] Cf. *ibid.*, n. 68: *l. c.*, pp. 432-433; *Proposition* 21.

l'Eucharistie, au partage des biens matériels et spirituels (cf. *Ac* 2,42-47). J'exhorte surtout les religieux, les religieuses et les membres des Sociétés de vie apostolique à vivre sans réserve l'amour mutuel, l'exprimant de la manière qui convient à la nature de chaque Institut, pour que chaque communauté constitue un signe lumineux de la nouvelle Jérusalem, « demeure de Dieu avec les hommes » (*Ap* 21,3).

Toute l'Église compte beaucoup sur le témoignage de communautés riches « de joie et de l'Esprit Saint » (*Ac* 13,52). Elle désire présenter au monde l'exemple de communautés dans lesquelles l'attention mutuelle aide à dépasser la solitude, la communication pousse chacun à se sentir responsable et le pardon cicatrise les blessures et renforce de la part de tous l'engagement à la communion. Dans des communautés de ce type, la nature du charisme oriente les énergies, soutient la fidélité et guide le travail apostolique de tous, pour l'unique mission. Afin de présenter à l'humanité d'aujourd'hui son vrai visage, l'Église a réellement besoin de telles communautés fraternelles qui, par leur existence même, représentent une contribution à la nouvelle évangélisation, parce qu'elles montrent de façon concrète les fruits du « commandement nouveau ».

Sentire cum Ecclesia

46. Une tâche importante est confiée à la vie consacrée, notamment à la lumière de la doctrine de l'Église comme communion, proposée par le

Concile Vatican II avec tant de vigueur. Aux personnes consacrées, il est demandé d'être vraiment expertes en communion et d'en pratiquer la spiritualité,[94] comme « témoins et artisans du projet de communion qui est au sommet de l'histoire de l'homme selon Dieu ».[95] Le sens de la communion ecclésiale, qui devient une *spiritualité de la communion,* encourage une façon de penser, de parler et d'agir qui fait progresser l'Église en profondeur et en extension. En effet, la vie de communion « devient un *signe* pour le monde et une *force* d'attraction qui conduit à croire au Christ [...]. De cette manière, la communion s'ouvre à la *mission,* elle se fait elle-même mission », ou plutôt « *la communion engendre la communion* et se présente essentiellement comme *communion missionnaire* ».[96]

Les fondateurs et les fondatrices *font toujours preuve d'un vif sens de l'Église,* qui se manifeste par leur pleine participation à la vie ecclésiale dans toutes ses dimensions et par leur prompte obéissance aux Pasteurs, spécialement au Pontife romain. C'est en raison de cet amour pour la sainte Église, « colonne et support de la vérité » (*1 Tm* 3,15), que se comprennent la dévotion de François d'Assise pour « le Seigneur Pape »,[97] l'audace filiale de Catherine de Sienne envers celui qu'elle

[94] Cf. *Proposition* 28.

[95] Congrégation des Religieux et des Instituts séculiers, Document *Vie et mission des religieux dans l'Église* (12 août 1980), II, n. 24: *La Documentation catholique* 78 (1981), p. 172.

[96] Jean-Paul II, Exhort. ap. post-synodale *Christifideles laici* (30 décembre 1988), nn. 31-32: *AAS* 81 (1989), pp. 451-452.

[97] *Regula bullata*, I, 1.

appelle « le doux Christ sur la terre »,[98] l'obéissance apostolique et le *sentire cum Ecclesia* d'Ignace de Loyola,[99] la joyeuse profession de foi de Thérèse de Jésus: « Je suis fille de l'Église ».[100] On comprend aussi le désir ardent de Thérèse de Lisieux: « Dans le cœur de l'Église, ma mère, je serai l'amour... ».[101] Ces témoignages sont représentatifs de la pleine communion ecclésiale que des saints et des saintes, des fondateurs et des fondatrices, ont vécue en des époques et des circonstances diverses et souvent très difficiles. Ce sont des exemples auxquels les personnes consacrées doivent constamment se référer, pour résister aux poussées centrifuges et destructrices, aujourd'hui particulièrement fortes.

L'adhésion d'esprit et de cœur au magistère des Évêques est un aspect déterminant de cette communion ecclésiale; elle doit être vécue avec loyauté et clairement manifestée devant le Peuple de Dieu par toutes les personnes consacrées, particulièrement celles qui sont engagées dans la recherche théologique, dans l'enseignement, dans les publications, dans la catéchèse, dans l'usage des moyens de communication sociale.[102] Puisque les personnes consacrées occupent une place particu-

[98] *Lettres* 109, 171, 196.

[99] Cf. les *Règles* « pour avoir un sens sûr et vrai dans l'Église militante », qu'il place à la fin du livre des *Exercices spirituels*, en particulier la *Règle* treizième.

[100] *Dichos*, n. 217: *Obras completas*, III, Madrid (1959), p. 899 (Paroles recueillies par ses Sœurs sur son lit de mort: témoignage au procès de canonisation).

[101] *Manuscrits autobiographiques*, B, 3 v°.

[102] Cf. *Proposition* 30, A.

lière dans l'Église, leur attitude à ce sujet a une grande importance pour tout le Peuple de Dieu. Leur témoignage d'amour filial donne force et intensité à leur activité apostolique qui, dans le cadre de la mission prophétique de tous les baptisés, se caractérise en général par des tâches accomplies en collaboration étroite avec l'ordre hiérarchique.[103] De cette façon, avec la richesse de leurs charismes, elles apportent leur contribution propre à la réalisation toujours plus profonde par l'Église de sa nature de sacrement « de l'union intime avec Dieu et de l'unité de tout le genre humain ».[104]

La fraternité dans l'Église universelle

47. Les personnes consacrées sont appelées à être des ferments de communion missionnaire dans l'Église universelle par le fait même que les multiples charismes des divers Instituts sont donnés par l'Esprit Saint, en vue du bien du Corps mystique tout entier, à l'édification duquel ils doivent servir (cf. *1 Co* 12,4-11). Il est significatif que « la voie meilleure » (*1 Co* 12,31), la réalité « la plus grande de toutes » (*1 Co* 13,13), selon la parole de l'Apôtre, soit la charité, qui harmonise toutes les diversités et donne à tous la force du soutien mutuel dans leur élan apostolique. C'est à cela que tend *le lien particulier de communion* des

[103] Cf. JEAN-PAUL II, Exhort. ap. *Redemptionis donum* (25 mars 1984), n. 15: *AAS* 76 (1984), pp. 541-542.

[104] CONC. ŒCUM. VAT. II, Const. dogm. *Lumen gentium*, n. 1.

diverses formes de vie consacrée et des Sociétés de vie apostolique *avec le Successeur de Pierre, dans son ministère d'unité et d'universalité missionnaire*. L'histoire de la spiritualité montre bien comment ce lien remplit un rôle providentiel pour garantir l'identité de la vie consacrée et l'expansion missionnaire de l'Évangile. La large diffusion de l'annonce évangélique, le solide enracinement de l'Église dans bien des régions du monde et le printemps chrétien qui se lève aujourd'hui dans les jeunes Églises seraient impensables — comme l'ont fait observer les Pères synodaux — sans la contribution de nombreux Instituts de vie consacrée et de nombreuses Sociétés de vie apostolique. Au cours des siècles, ils ont maintenu ferme la communion avec les Successeurs de Pierre, qui ont trouvé en eux un généreux empressement dans le dévouement à la mission ainsi qu'une disponibilité qui, suivant les circonstances, a su aller jusqu'à l'héroïsme.

Ainsi se manifeste *le caractère d'universalité et de communion* propre aux Instituts de vie consacrée et aux Sociétés de vie apostolique. Par leur nature supra-diocésaine fondée sur leur rapport spécial avec le ministère pétrinien, ils sont aussi au service de la collaboration entre les différentes Églises particulières,[105] au sein desquelles ils peuvent efficacement promouvoir « l'échange de

[105] Congrégation pour la Doctrine de la Foi, Lettre aux Évêques de l'Église catholique sur certains aspects de l'Église comprise comme communion *Communionis notio* (28 mai 1992), n. 16: *AAS* 85 (1993), pp. 847-848.

dons » et contribuer à une inculturation de l'Évangile qui purifie, met en valeur et assume les richesses des cultures de tous les peuples.[106] Aujourd'hui, dans les jeunes Églises, la floraison de vocations à la vie consacrée montre qu'elle exprime bien, dans l'unité catholique, les attentes des divers peuples et des diverses cultures.

La vie consacrée et l'Église particulière

48. À l'intérieur des Églises particulières, les personnes consacrées ont également un rôle significatif. À partir de la doctrine conciliaire sur l'Église comme communion et mystère, et sur les Églises particulières comme portions du Peuple de Dieu dans lesquelles « est vraiment présente et agissante l'Église du Christ, une, sainte, catholique et apostolique »,[107] ce fait a été approfondi et codifié dans plusieurs documents. Ces textes mettent clairement en évidence l'importance fondamentale de la collaboration des personnes consacrées avec les Évêques pour le développement harmonieux de la pastorale diocésaine. Les charismes de la vie consacrée peuvent fortement contribuer à l'édification de la charité dans l'Église particulière.

Les diverses façons de vivre les conseils évangéliques, en effet, sont l'expression et le fruit des

[106] Cf. CONC. ŒCUM. VAT. II, Const. dogm. *Lumen gentium*, n. 13.

[107] CONC. ŒCUM. VAT. II, Décret sur la charge pastorale des Évêques dans l'Église *Christus Dominus*, n. 11.

dons spirituels reçus par les fondateurs et les fondatrices et, comme telles, elles constituent une « *expérience de l'Esprit,* transmise à leurs disciples pour être vécue par ceux-ci, gardée, approfondie, développée constamment en harmonie avec le Corps du Christ en croissance perpétuelle ».[108] La nature de chaque Institut comporte un style particulier de sanctification et d'apostolat, qui tend à se fixer dans une tradition déterminée, caractérisée par des éléments objectifs.[109] C'est dans ce sens que l'Église a le souci de la croissance et du développement des Instituts, dans la fidélité à l'esprit des fondateurs et des fondatrices et à leurs saines traditions.[110]

En conséquence, chaque Institut se voit reconnaître une *juste autonomie,* grâce à laquelle il peut conserver une discipline propre et garder intact son patrimoine spirituel et apostolique. Les Ordinaires des lieux ont le devoir de préserver et de protéger cette autonomie.[111] Il est donc demandé aux Évêques d'accueillir et d'estimer les charismes de la vie consacrée, en leur donnant une place dans les projets de la pastorale diocésaine. Ils doivent être spécialement attentifs aux Instituts de droit diocésain, qui sont confiés à la sollici-

[108] Congrégation des Religieux et des Instituts séculiers et Congrégation des Évêques, Directives *Mutuæ relationes* (14 mai 1978), n. 11: *AAS* 70 (1978), p. 480.

[109] Cf. *ibid.*

[110] Cf. *Code de Droit Canonique*, can. 576.

[111] Cf. *Code de Droit canonique*, can. 586; Congrégation des Religieux et des Instituts séculiers et Congrégation des Évêques, Directives *Mutuæ relationes* (14 mai 1978), n. 13: *AAS* 70 (1978), pp. 481-482.

tude particulière de l'Évêque du lieu. Un diocèse sans vie consacrée serait privé de beaucoup de dons spirituels, de lieux réservés à la recherche de Dieu, d'activités apostoliques et de méthodes pastorales spécifiques; de plus, il risquerait de se trouver grandement affaibli par l'absence de l'esprit missionnaire propre à la majorité des Instituts.[112] Il convient donc d'accueillir le don de la vie consacrée, que l'Esprit suscite dans l'Église particulière, en le recevant généreusement dans l'action de grâce.

Une communion ecclésiale féconde et ordonnée

49. L'Évêque est père et pasteur de l'Église particulière tout entière. Il lui revient de reconnaître et de respecter les différents charismes, de les promouvoir et de les coordonner. Dans sa charité pastorale, il accueillera donc le charisme de la vie consacrée comme une grâce qui ne concerne pas seulement un Institut, mais qui profite à toute l'Église. Il cherchera ainsi à soutenir et à aider les personnes consacrées, afin que, en communion avec l'Église, elles s'ouvrent à des perspectives spirituelles et pastorales qui répondent aux exigences de notre temps, demeurant fidèles à leur charisme fondateur. De leur côté, les personnes consacrées ne manqueront pas d'offrir généreusement leur collaboration à l'Église particulière selon leurs forces et dans le respect de leur

[112] Cf. CONC. ŒCUM. VAT. II, Décret *Ad gentes*, n. 18.

charisme, *œuvrant en pleine communion avec l'Évêque* dans les domaines de l'évangélisation, de la catéchèse, de la vie des paroisses.

Il est bon de se rappeler que, dans la coordination du service de l'Église universelle avec celui de l'Église particulière, les Instituts ne peuvent invoquer leur juste autonomie et même l'exemption dont jouissent [113] beaucoup d'entre eux, pour justifier des choix qui iraient en réalité à l'encontre des nécessités de la communion organique indispensable à une saine vie ecclésiale. Il faut, au contraire, que les initiatives pastorales des personnes consacrées soient décidées et mises en œuvre dans un dialogue cordial et ouvert entre Évêques et Supérieurs des divers Instituts. L'attention spéciale des Évêques à la vocation et à la mission des Instituts et le respect de ces derniers pour le ministère des Évêques, traduit par l'accueil empressé des directives pastorales diocésaines concrètes, représentent deux formes intimement liées de cette unique charité ecclésiale, qui engage chacun au service de la communion organique — charismatique et en même temps hiérarchiquement structurée — du Peuple de Dieu tout entier.

Un dialogue constant animé par la charité

50. Pour promouvoir la connaissance mutuelle, condition nécessaire d'une coopération efficace,

[113] Cf. *Code de Droit canonique*, can. 586, § 2; 591; *Code des Canons des Églises orientales*, can. 412, § 2.

surtout dans le domaine pastoral, il est des plus opportuns que les Supérieurs et Supérieures des Instituts de vie consacrée et des Sociétés de vie apostolique restent en *dialogue constant* avec les Évêques. Grâce à ces contacts habituels, les Supérieurs et les Supérieures pourront informer les Évêques des initiatives apostoliques qu'ils envisagent de prendre dans leurs diocèses, pour parvenir avec eux aux accords nécessaires à leur mise en œuvre. De la même façon, il convient que des personnes déléguées par les Conférences des Supérieurs et des Supérieures majeurs soient invitées à assister aux assemblées des Conférences des Évêques et, inversement, que des délégués des Conférences épiscopales soient invités aux Conférences des Supérieurs et des Supérieures majeurs, selon des modalités à déterminer. Dans cette perspective, on pourra tirer un grand avantage, là où elles n'existeraient pas encore, de la constitution et des travaux, au niveau national, de *commissions mixtes d'Évêques et de Supérieurs et Supérieures majeurs*,[114] qui examineront ensemble les questions d'intérêt commun. Introduire la théologie et la spiritualité de la vie consacrée dans le programme des études théologiques des prêtres diocésains, de même que prévoir, dans la formation des personnes consacrées, de traiter suffisamment la théologie de l'Église particulière et la spiritualité du clergé diocésain, tout cela

[114] Cf. *Proposition* 29, 4.

contribuera aussi à une meilleure connaissance mutuelle.[115]

Enfin, il est réconfortant de rappeler qu'au Synode les interventions sur la doctrine de la communion ont été nombreuses et qu'on a fait avec satisfaction l'expérience d'un dialogue vécu dans un climat de confiance et d'ouverture réciproques entre les Évêques, les religieux et les religieuses présents. Cela a suscité le désir que « cette expérience spirituelle de communion et de collaboration s'étende à toute l'Église », également après le Synode.[116] Je fais mien ce souhait en vue du progrès chez tous d'une attitude et d'une spiritualité de communion.

La fraternité dans un monde de division et d'injustice

51. L'Église confie aux communautés de vie consacrée le devoir particulier de *développer la spiritualité de la communion* d'abord à l'intérieur d'elles-mêmes, puis dans la communauté ecclésiale et au-delà de ses limites, en poursuivant constamment le dialogue de la charité, surtout là où le monde d'aujourd'hui est déchiré par la haine ethnique ou la folie homicide. Insérées dans les sociétés de ce monde — des sociétés souvent traversées de passions et d'intérêts conflictuels, aspirant à l'unité, mais incertaines sur les voies à prendre —, les communautés de vie consacrée,

[115] Cf. *Proposition* 49, B.
[116] *Proposition* 54.

où se rencontrent comme des frères et des sœurs des personnes d'âges, de langues et de cultures divers, se situent comme *signes d'un dialogue toujours possible* et d'une communion capable d'harmoniser toutes les différences.

Les communautés de vie consacrée sont envoyées pour annoncer, par le témoignage de leur vie, la valeur de la fraternité chrétienne et la force transformante de la Bonne Nouvelle,[117] qui fait reconnaître chacun comme enfant de Dieu et pousse à l'amour oblatif envers tous et spécialement envers les plus humbles. Ces communautés sont des lieux d'espérance et de découverte des Béatitudes, des lieux où l'amour, s'appuyant sur la prière, source de la communion, est appelé à devenir logique de vie et source de joie.

À notre époque, caractérisée par la mondialisation des problèmes et par le retour des idoles du nationalisme, les Instituts internationaux ont la responsabilité particulière d'entretenir le sens de la communion entre les peuples, les races, les cultures, et d'en témoigner. Dans un climat de fraternité, l'ouverture à la dimension mondiale des problèmes n'étouffera pas leurs richesses propres, et l'affirmation d'une particularité ne les mettra en opposition ni avec les autres ni avec l'unité. Les Instituts internationaux peuvent réaliser cela avec efficacité, puisqu'ils doivent eux-mêmes rele-

[117] Cf. CONGRÉGATION POUR LES INSTITUTS DE VIE CONSACRÉE ET LES SOCIÉTÉS DE VIE APOSTOLIQUE, Instruction *La vie fraternelle en communauté. « Congregavit nos in unum Christi amor »* (2 février 1994), n. 56: *La Documentation catholique* 91 (1994), p. 427.

ver le défi de l'inculturation en faisant preuve de créativité et qu'ils doivent en même temps conserver leur identité.

Communion entre les divers Instituts

52. Les relations spirituelles fraternelles et la collaboration mutuelle entre les divers Instituts de vie consacrée et les diverses Sociétés de vie apostolique sont renforcées et nourries par le sens ecclésial de la communion. Des personnes unies par un engagement commun dans la *sequela Christi* et animées par le même Esprit Saint ne peuvent que manifester visiblement la plénitude de l'Évangile de l'amour, comme des sarments de l'unique Vigne. Se souvenant de l'amitié spirituelle qui a souvent lié sur la terre les divers fondateurs et fondatrices, tout en restant fidèles à la nature de leur Institut, ces personnes sont appelées à vivre une fraternité exemplaire qui soit stimulante pour les autres composantes de l'Église, dans l'engagement quotidien à témoigner de l'Évangile.

Les paroles de saint Bernard à propos des divers Ordres religieux sont toujours actuelles: « Je les admire tous [...]. J'appartiens à l'un d'eux par l'obédience, mais à tous par la charité. Nous avons tous besoin les uns des autres: le bien spirituel que je n'ai pas et que je ne possède pas, je le reçois des autres [...]. Dans cet exil, l'Église étant encore en pèlerinage, son unité est, pour ainsi dire, plurielle et sa pluralité unique [...]. Et toutes nos diversités, qui manifestent la richesse des dons de Dieu, subsisteront dans l'unique maison du Père, qui comporte de nombreuses demeures. Maintenant il y a la répartition des grâces: alors il y aura distinction des gloires. L'unité, ici comme là-bas, réside dans une même charité ».[118]

Organismes de coordination

53. Les Conférences des Supérieurs et Supérieures majeurs et les Conférences des Instituts séculiers peuvent apporter une contribution notable à la communion. Encouragés et dotés de normes par le Concile Vatican II [119] et par des documents ultérieurs,[120] ces organismes ont pour but principal la promotion de la vie consacrée intégrée dans l'ensemble de la mission ecclésiale.

Par leur intermédiaire, les Instituts expriment leur communion et cherchent les moyens de la renforcer, dans le respect et la mise en valeur des particularités des différents charismes où se reflètent le mystère de l'Église et la sagesse multiforme de Dieu.[121] J'encourage les Instituts de vie consacrée à collaborer entre eux, surtout dans les pays où, en raison de difficultés particulières, la

[118] *Apologie à Guillaume de Saint-Thierry*, IV, 8: *PL* 182, 903-904.

[119] Cf. Décret *Perfectæ caritatis*, n. 23.

[120] Cf. Congrégation des Religieux et des Instituts séculiers et Congrégation des Évêques, Directives *Mutuæ relationes* (14 mai 1978), nn. 21; 61: *AAS* 70 (1978), pp. 486; 503-504; *Code de Droit canonique*, can. 708-709.

[121] Cf. Conc. œcum. Vat. II, Décret *Perfectæ caritatis*, n. 1; Const. dogm. *Lumen gentium*, n. 46.

tentation du repli sur soi peut être forte, au détriment de la vie consacrée elle-même et de l'Église. Il faut au contraire qu'ils s'aident mutuellement à chercher à comprendre le dessein de Dieu dans les vicissitudes actuelles de l'histoire.[122] pour mieux y répondre par des initiatives apostoliques appropriées. Dans cette perspective de communion et d'ouverture aux défis de notre temps, les Supérieurs et les Supérieures, « œuvrant en harmonie avec l'épiscopat », chercheront à « recourir aux services des meilleurs collaborateurs de chaque Institut et à proposer des contributions qui n'aident pas seulement à surmonter d'éventuelles limites, mais créent un style valable de formation à la vie consacrée ».[123]

J'invite les Conférences des Supérieurs et Supérieures majeurs à prendre des contacts fréquents et réguliers avec la Congrégation pour les Instituts de Vie consacrée et les Sociétés de Vie apostolique, afin de manifester leur communion avec le Saint-Siège. Il faudra aussi entretenir des relations actives et confiantes avec les Conférences épiscopales de chaque pays. Dans l'esprit du document *Mutuæ relationes,* il conviendra que ces relations prennent une forme stable, pour rendre possible une coordination constante et opportune, au fur et à mesure des initiatives. Si tout cela est

[122] Cf. Conc. œcum. Vat. II, Const. past. *Gaudium et spes,* n. 4.

[123] Jean-Paul II, Message à la XIVe Assemblée générale de la Conférence des Religieux du Brésil (11 juillet 1986), n. 4: *La Documentation catholique* 83 (1986), p. 893; cf. *Proposition* 31.

mis en œuvre avec persévérance et dans un esprit de fidèle adhésion aux directives du Magistère, les organismes de coordination et de communion se révèleront particulièrement utiles pour trouver des solutions qui évitent les incompréhensions et les tensions aussi bien sur le plan théorique que pratique; [124] ils contribueront alors au développement de la communion entre les Instituts de vie consacrée et les Évêques, ainsi qu'à l'accomplissement de la mission même des Églises particulières.

Communion et collaboration avec les laïcs

54. Ces dernières années, la doctrine de l'Église comme communion a permis de mieux comprendre que ses diverses composantes peuvent et doivent unir leurs forces, dans un esprit de collaboration et d'échange des dons, pour participer plus efficacement à la mission ecclésiale. Cela contribue à donner une image plus juste et plus complète de l'Église, et surtout à rendre plus vigoureuse la réponse aux grands défis de notre temps, grâce à l'apport concerté des divers dons.

En ce qui concerne les Instituts monastiques et contemplatifs, les relations avec les laïcs se situent essentiellement sur le plan spirituel, alors que, pour les Instituts engagés dans l'apostolat, ils se traduisent aussi par une collaboration pas-

[124] Cf. Congrégation des Religieux et des Instituts séculiers et Congrégation des Évêques, Directives *Mutuæ relationes* (14 mai 1978), nn. 63; 65: *AAS* 70 (1978), pp. 504-505.

torale. Les membres des Instituts séculiers, laïcs ou clercs, entretiennent des relations avec les autres fidèles dans les formes ordinaires de la vie quotidienne. Aujourd'hui, beaucoup d'Instituts, souvent en raison de situations nouvelles, sont parvenus à la conviction que *leur charisme peut être partagé avec les laïcs,* qui, par conséquent, sont invités à participer de façon plus intense à la spiritualité et à la mission de l'Institut lui-même. On peut dire que, dans le sillage des expériences historiques comme celles des divers Ordres séculiers ou Tiers-Ordres, un nouveau chapitre, riche d'espérance, s'ouvre dans l'histoire des relations entre les personnes consacrées et le laïcat.

Pour un dynamisme spirituel et apostolique renouvelé

55. Ces nouvelles expériences de communion et de collaboration méritent d'être encouragées pour divers motifs. En effet, il pourra en résulter, avant tout, le rayonnement d'une spiritualité qui porte à l'action au-delà des frontières de l'Institut; ce dernier comptera ainsi sur de nouvelles forces pour assurer dans l'Église la continuité de certaines de ses activités caractéristiques. Une autre conséquence positive pourra aussi être de faciliter une entente approfondie entre personnes consacrées et laïcs, en vue de la mission: inspirés par les exemples de sainteté des personnes consacrées, les laïcs seront introduits à l'expérience directe de l'esprit des conseils évangéliques et, en

vue de la transformation du monde selon le cœur de Dieu, seront ainsi encouragés à vivre l'esprit des Béatitudes et à en témoigner.[125]

La participation des laïcs suscite souvent des approfondissements inattendus et féconds de certains aspects du charisme, en leur donnant une interprétation plus spirituelle et en incitant à en tirer des suggestions pour de nouveaux dynamismes apostoliques. Dans toutes les activités ou ministères où elles sont engagées, les personnes consacrées se souviendront donc qu'elles doivent être, avant tout, des guides compétents de vie spirituelle, et, dans cette perspective, elles feront fructifier « le talent le plus précieux: l'esprit ».[126] À leur tour, les laïcs offriront aux familles religieuses la précieuse contribution de leur caractère séculier et de leur service spécifique.

Laïcs volontaires et associés

56. Une expression significative de la participation des laïcs aux richesses de la vie consacrée se voit dans l'adhésion de fidèles laïques aux divers Instituts, sous la forme nouvelle de ce qu'on appelle « membres associés » ou bien, suivant les besoins actuels dans certains contextes culturels, sous la forme d'un partage temporaire de la vie communautaire et l'engagement particulier de

[125] Cf. Conc. œcum. Vat. II, Const. dogm. *Lumen gentium*, n. 31.

[126] S. Antonio M. Zaccaria, *Scritti. Sermone II*, Roma (1975), p. 129.

l'Institut dans la contemplation ou dans l'apostolat, à condition évidemment que la nature de sa vie interne n'en souffre pas.[127]

Il est juste d'avoir une grande estime pour ce genre de volontariat qui s'inspire des richesses de la vie consacrée; il faut cependant veiller à la formation des volontaires, pour que, en plus de la compétence, ils aient toujours des motivations spirituelles profondes dans leurs intentions et un vif sens communautaire et ecclésial dans leurs projets.[128] Il faut ensuite se rappeler que, pour être considérées comme œuvres d'un Institut déterminé, les initiatives dans lesquelles sont impliqués des laïcs à un niveau de décision doivent en poursuivre les fins et être réalisées sous sa responsabilité. Donc, si des laïcs en assurent la direction, ils rendront compte de leur responsabilité aux Supérieurs et aux Supérieures compétents. Il est opportun que tout cela soit précisé et organisé selon des directives propres à chaque Institut, approuvées par l'autorité supérieure, en précisant les compétences respectives de l'Institut lui-même, celles de la communauté et celles des membres associés ou des volontaires.

Les personnes consacrées, envoyées par leurs Supérieurs et Supérieures, tout en restant sous leur dépendance, peuvent *collaborer selon des modalités appropriées à des initiatives laïques,* particulièrement dans des organisations et des institu-

[127] Cf. *Proposition* 33, A et C.
[128] Cf. *Proposition* 33, B.

tions qui s'occupent des marginaux et qui ont pour but de soulager la souffrance humaine. Si elle est animée et soutenue par une claire et forte identité chrétienne, et si elle respecte les caractéristiques de la vie consacrée, cette collaboration peut faire rayonner la force et la lumière de l'Évangile dans les situations les plus obscures de l'existence humaine.

Au cours de ces dernières années, beaucoup de personnes consacrées sont entrées dans l'un des *mouvements ecclésiaux* qui se développent actuellement. En général, les intéressés tirent profit de telles expériences, particulièrement pour leur renouveau spirituel. Toutefois, on ne peut nier que, dans certains cas, cela risque de gêner ou de désorienter au niveau personnel et communautaire, notamment quand ces expériences entrent en conflit avec les exigences de la vie communautaire et de la spiritualité de l'Institut. Il faudra donc prendre soin que l'adhésion aux mouvements ecclésiaux se fasse dans le respect du charisme et de la discipline de l'Institut,[129] avec la permission des Supérieurs ou des Supérieures, et en étant pleinement disposé à accueillir leurs décisions.

[129] Cf. Congrégation pour les Instituts de Vie consacrée et les Sociétés de Vie apostolique, Instruction *La vie fraternelle en communauté « Congregavit nos in unum Christi amor »* (2 février 1994), n. 62: *La Documentation catholique* 91 (1994), pp. 429-430; Instruction *Potissimum institutioni* (2 février 1990), nn. 92-93: *AAS* 82 (1990), pp. 123-124.

La dignité et le rôle de la femme consacrée

57. L'Église montre les multiples formes de sa richesse spirituelle quand, ayant surmonté les discriminations, elle accueille comme une véritable bénédiction les dons de Dieu répandus aussi bien sur les hommes que sur les femmes, tous mis en valeur dans leur égale dignité. Les femmes consacrées sont appelées de façon tout à fait spéciale à être, par le don d'elles-mêmes vécu en plénitude et avec joie, *un signe de la tendresse de Dieu pour le genre humain* et un témoignage particulier du mystère de l'Église, vierge, épouse et mère.[130] Leur mission n'a pas manqué d'être mise en relief au Synode; elles ont été nombreuses à y participer et à pouvoir faire entendre leur voix, écoutée et appréciée de tous. Grâce aussi à leurs contributions, on a vu se dégager des indications utiles pour la vie de l'Église et pour sa mission évangélisatrice. Certes, on ne peut nier le bien-fondé de beaucoup de revendications concernant la position de la femme dans divers milieux sociaux et ecclésiaux. Il convient également de remarquer que la nouvelle conscience que les femmes ont d'elles-mêmes aide aussi les hommes à revoir leurs schémas mentaux, leur façon de se comprendre eux-mêmes, de se situer dans l'histoire et de l'interpréter, d'organiser la vie sociale, politique, économique, religieuse et ecclésiale.

L'Église, qui a reçu du Christ un message de libération, a la mission prophétique de le ré-

[130] Cf. *Proposition* 9, A.

pandre, en encourageant des états d'esprit et des conduites conformes aux intentions du Seigneur. Dans ce contexte, la femme consacrée peut, à partir de son expérience de l'Église et sa vie de femme dans l'Église, contribuer à éliminer certaines conceptions unilatérales, qui entravent la pleine reconnaissance de sa dignité, de son apport spécifique à la vie et à l'action pastorale et missionnaire de l'Église. De la sorte, il est légitime que la femme consacrée aspire à voir reconnaître plus clairement son identité, sa compétence, sa mission et sa responsabilité, aussi bien dans la conscience ecclésiale que dans la vie quotidienne.

L'avenir même de la nouvelle évangélisation, comme du reste de toutes les autres formes d'action missionnaire, est impensable sans une contribution renouvelée des femmes, spécialement des femmes consacrées.

Nouvelles perspectives de présence et d'action

58. Il est donc urgent de faire quelques pas concrets, en commençant par ouvrir aux femmes des *espaces de participation* dans divers secteurs et à tous les niveaux, y compris dans les processus d'élaboration des décisions, surtout pour ce qui les concerne.

Il est nécessaire aussi que la formation des femmes consacrées, à l'égal de celle des hommes, soit adaptée aux nouvelles urgences et prévoie un temps et un cadre institutionnel suffisants pour une éducation systématique, portant sur tous les domaines, depuis celui de la théologie et de la pastorale jusqu'au domaine professionnel. La formation pastorale et catéchétique, toujours importante, est particulièrement utile à la nouvelle évangélisation, qui demande aussi aux femmes de nouvelles formes de participation.

On peut considérer qu'une formation, en aidant la femme consacrée à mieux comprendre ses propres dons, ne manquera pas de stimuler la nécessaire réciprocité à l'intérieur de l'Église. Dans le domaine de la réflexion théologique, culturelle et spirituelle, on attend beaucoup du génie de la femme non seulement pour la spécificité de la vie consacrée féminine, mais encore pour l'intelligence de la foi dans toutes ses expressions. À ce propos, que ne doit pas l'histoire de la spiritualité à des saintes comme Thérèse de Jésus et Catherine de Sienne, les deux premières femmes honorées du titre de Docteur de l'Église, et à tant d'autres mystiques pour l'approfondissement du mystère de Dieu et pour la mise en lumière de son action sur les croyants! L'Église compte beaucoup sur une contribution originale des femmes consacrées pour promouvoir la doctrine, les bonnes mœurs, la vie familiale et sociale, spécialement en ce qui concerne la dignité de la femme et le respect de la vie humaine.[131] En effet, « *les femmes* jouent un rôle unique et sans doute déterminant: il leur revient de promouvoir un nouveau féminisme qui, sans succomber à la tenta-

[131] Cf. *Proposition* 9.

tion de suivre les modèles masculins, sache reconnaître et exprimer le véritable génie féminin dans toutes les manifestations de la vie en société, travaillant à dépasser toute forme de discrimination, de violence et d'exploitation ».[132]

Il y a des raisons d'espérer que, à partir d'une reconnaissance plus grande de la mission de la femme, la vie consacrée féminine prendra une conscience toujours plus vive de son propre rôle et se dévouera mieux encore à la cause du Règne de Dieu. Cela pourra se traduire par de multiples œuvres, comme l'engagement dans l'évangélisation, l'action éducative, la participation à la formation des futurs prêtres et des personnes consacrées, l'animation de la communauté chrétienne, l'accompagnement spirituel, la promotion des biens fondamentaux de la vie et de la paix. Aux femmes consacrées, avec leur extraordinaire capacité de dévouement, j'exprime encore une fois l'admiration et la reconnaissance de toute l'Église, qui les soutient parce qu'elles vivent en plénitude et avec joie leur vocation et qu'elles se sentent appelées à la haute charge d'aider à former la femme d'aujourd'hui.

[132] JEAN-PAUL II, Encycl. *Evangelium vitæ* (25 mars 1995), n. 99: *AAS* 87 (1995), p. 514.

II. CONTINUER L'ŒUVRE DE L'ESPRIT: FIDÉLITÉ DANS LA NOUVEAUTÉ

Les moniales cloîtrées

59. La vie monastique féminine et la clôture des moniales méritent une attention particulière, pour la haute estime que la communauté chrétienne nourrit envers ce genre de vie, *signe de l'union exclusive de l'Église-Épouse avec son Seigneur,* aimé par-dessus tout. En effet, la vie des moniales cloîtrées, qui se consacrent essentiellement à la prière, à l'ascèse et au progrès ardent dans la vie spirituelle, « n'est autre chose qu'un chemin vers la Jérusalem céleste et une anticipation de l'Église eschatologique dans la possession et la contemplation de Dieu ».[133] À la lumière de cette vocation et de cette mission ecclésiales, la clôture répond à l'exigence, reconnue comme prioritaire, de *demeurer avec le Seigneur*. Choisissant un espace réduit comme lieu de vie, les cloîtrées participent à l'anéantissement du Christ, dans une pauvreté radicale qui s'exprime par le renoncement non seulement aux choses matérielles, mais aussi à l'« espace », aux contacts et à de nombreux biens de la création. Ce mode spécifique de donner son « corps » les introduit de manière plus sensible dans le mystère eucharistique. Les cloîtrées s'offrent avec Jésus pour le salut du monde.

[133] Congrégation des Religieux et des Instituts séculiers, Instr. sur la vie contemplative et la clôture des moniales *Venite seorsum* (15 août 1969), V: *AAS* 61 (1969), p. 685.

En plus de la dimension de sacrifice et d'expiation, leur offrande prend aussi le sens d'une action de grâce au Père, dans la participation à l'action de grâce du Fils bien-aimé.

Enracinée dans un tel dynamisme spirituel, la clôture n'est pas seulement un moyen ascétique de valeur incomparable, mais aussi *une manière de vivre la Pâque du Christ.*[134] D'expérience de « mort », elle devient surabondance de vie, et elle apparaît comme une annonce joyeuse et une anticipation prophétique de la possibilité offerte à toute personne et à l'humanité entière de vivre uniquement pour Dieu, en Jésus Christ (cf. *Rm* 6,11). La clôture évoque donc cette *cellule du cœur* dans laquelle chacun est appelé à vivre l'union avec le Seigneur. Accueillie comme un don et choisie comme une libre réponse d'amour, elle est le lieu de la communion spirituelle avec Dieu et avec les frères et les sœurs, où la restriction de l'espace et des contacts favorise l'intériorisation des valeurs évangéliques (cf. *Jn* 13,34; *Mt* 5,3.8).

Les communautés cloîtrées, placées comme une ville sur la montagne et comme une lampe sur le lampadaire (cf. *Mt* 5,14-15), même dans la simplicité de leur vie, *évoquent de manière visible le but vers lequel chemine l'ensemble de la communauté ecclésiale* qui, « pleine d'ardeur dans l'action et adonnée à la contemplation »,[135] marche sur les routes de ce temps le regard fixé sur la récapi-

[134] Cf. *ibid.*, I: *AAS* 61 (1969), p. 674.

[135] Conc. œcum. Vat. II, Constitution sur la sainte Liturgie *Sacrosanctum Concilium*, n. 2.

tulation future de toutes choses dans le Christ, lorsque l'Église « apparaîtra avec son Époux dans la gloire (cf. *Col* 3,1-4) »,[136] et que le Christ « remettra la royauté à Dieu le Père, après avoir détruit toute Principauté, Domination et Puissance [...], afin que Dieu soit tout en tous » (*1 Co* 15,24.28).

Ma reconnaissance va donc à ces Sœurs très chères que j'encourage à rester fidèles à la vie cloîtrée selon leur charisme propre. Grâce à leur exemple, ce genre de vie connaît encore de nombreuses vocations, attirées par la radicalité d'une existence « sponsale » totalement consacrée à Dieu dans la contemplation. Comme expression du pur amour qui vaut plus que toute action, la vie contemplative possède une extraordinaire efficacité apostolique et missionnaire.[137]

Les Pères synodaux ont manifesté une grande estime pour la valeur de la clôture, en même temps qu'ils prenaient en considération les requêtes présentées ici ou là au sujet de sa discipline concrète. Les indications du Synode sur cette question et, en particulier, le souhait de donner une plus grande responsabilité aux Supérieures majeures en ce qui concerne les dérogations à la clôture pour des causes graves et justes,[138] feront l'objet d'une réflexion méthodique, dans le sens du renouveau déjà accompli depuis le Concile

[136] Conc. œcum. Vat. II, Const. dogm. *Lumen gentium*, n. 6.
[137] Cf. S. Jean de la Croix, *Cantique spirituel*, str. 29, 1.
[138] Cf. *Code de Droit canonique*, can. 667, § 4; *Proposition* 22, 4.

Vatican II.[139] En ce sens, la clôture, selon ses différentes formes et ses divers degrés — de la clôture papale et constitutionnelle à la clôture monastique —, correspondra mieux à la diversité des Instituts contemplatifs et des traditions des monastères.

Comme le Synode l'a lui-même souligné, il convient en outre de favoriser les Associations et les Fédérations entre les monastères, déjà recommandées par Pie XII et par le deuxième Concile œcuménique du Vatican,[140] surtout là où il n'existe pas d'autres formes efficaces de coordination et d'aide, afin de préserver et de promouvoir les valeurs de la vie contemplative. Restant toujours sauve l'autonomie légitime des monastères, ces organisations peuvent en effet offrir un soutien réel pour résoudre convenablement des problèmes communs, tels que le renouveau approprié, la formation initiale et permanente, le soutien économique mutuel, et aussi la réorganisation des monastères eux-mêmes.

[139] Cf. PAUL VI, Motu proprio *Ecclesiæ sanctæ* (8 juin 1966), II, nn. 30-31: *AAS* 58 (1966), p. 780; CONC. ŒCUM. VAT. II, Décret *Perfectæ caritatis*, n. 7; 16; CONGRÉGATION DES RELIGIEUX ET DES INSTITUTS SÉCULIERS, Instruction sur la Vie contemplative et la Clôture des Moniales *Venite seorsum* (15 août 1969), VI: *AAS* 61 (1969), p. 686.

[140] Cf. PIE XII, Const. ap. *Sponsa Christi* (21 novembre 1950), VII: *AAS* 43 (1951), pp. 18-19; CONC. ŒCUM. VAT. II, Décret *Perfectæ caritatis*, n. 22.

60. Selon la doctrine traditionnelle de l'Église, de par sa nature, la vie consacrée *n'est ni laïque ni cléricale*[141] et, de ce fait, la « consécration laïque », masculine ou féminine, constitue en soi un état complet de la profession des conseils évangéliques.[142] Elle a donc pour la personne comme pour l'Église, une valeur spécifique, indépendante du ministère sacré.

Dans la ligne de l'enseignement du Concile Vatican II,[143] le Synode a manifesté une grande estime pour cette forme de vie consacrée dans laquelle les religieux frères exercent, à l'intérieur et hors de la communauté, des services précieux et variés, participant ainsi à la mission de proclamer l'Évangile et d'en témoigner par la charité dans la vie de tous les jours. En effet, certains de ces services peuvent être considérés comme de vrais *ministères ecclésiaux,* que l'autorité légitime leur confie. Cela exige une formation appropriée et intégrale: une formation humaine, spirituelle, théologique, pastorale et professionnelle.

Selon la terminologie en vigueur, les Instituts qui, en vertu de l'intention du fondateur et d'une tradition légitime, ont un caractère et une finalité qui ne comportent pas l'exercice de l'Ordre sa-

[141] Cf. *Code de Droit canonique*, can. 588, § 1.
[142] Cf. Conc. œcum. Vat. II, Décret *Perfectæ caritatis*, n. 10.
[143] Cf. *ibid.*, nn. 8; 10.

cré, sont appelés « Instituts laïques ».[144] Cependant, au cours du Synode, on a fait ressortir le fait que cette terminologie n'exprime pas de manière appropriée le caractère particulier de la vocation des membres de ces Instituts religieux. En effet, tout en exerçant les nombreuses activités qu'ils ont aussi en commun avec les fidèles laïques, les religieux le font en fonction de leur identité de consacrés et ils expriment ainsi un esprit de don total au Christ et à l'Église, selon leur charisme spécifique.

Pour cette raison, de manière à éviter toute ambiguïté et toute confusion avec le caractère séculier des fidèles laïques,[145] les Pères synodaux ont voulu proposer le terme d'*Instituts religieux de Frères*.[146] La proposition est significative, surtout si l'on considère que le terme de frère évoque aussi un riche contenu spirituel. « Ces religieux sont appelés à être des frères du Christ, profondément unis à Lui, "l'aîné d'une multitude de frères" (*Rm* 8,29); frères entre eux, dans l'amour mutuel et dans la coopération au même service pour le bien dans l'Église; frères de chaque homme par le témoignage de la charité du Christ envers tous, spécialement envers les plus petits et les plus nécessiteux; frères pour une plus grande fraternité

[144] *Code de Droit canonique*, can. 588, § 3; cf. CONC. ŒCUM. VAT. II, Décret *Perfectæ caritatis*, n. 10.

[145] Cf. CONC. ŒCUM. VAT. II, Const. dogm. *Lumen gentium*, n. 31.

[146] Cf. *Proposition* 8.

dans l'Église ».[147] Vivant de manière spéciale cet aspect commun à la vie chrétienne et à la vie consacrée, les « religieux frères » rappellent efficacement aux religieux prêtres eux-mêmes la dimension fondamentale de la fraternité dans le Christ, qu'ils ont à vivre entre eux et avec tout homme et toute femme, et ils proclament à tous la parole du Seigneur: « Tous, vous êtes des frères » (*Mt* 23,8).

Dans ces Instituts religieux de Frères, rien n'interdit, lorsque le Chapitre général en a décidé ainsi, que certains membres reçoivent les Ordres sacrés pour le service sacerdotal de la communauté religieuse.[148] Cependant, le Concile Vatican II ne donne aucun encouragement explicite dans ce sens, précisément parce qu'il désire que les Instituts de Frères demeurent fidèles à leur vocation et à leur mission. Cela vaut aussi pour l'accès à la charge de Supérieur, puisque celle-ci reflète de manière spéciale la nature de l'Institut lui-même.

La vocation des frères dans les Instituts qui sont dits « cléricaux » est différente; car, selon le projet de leur fondateur ou en vertu d'une tradition légitime, ces Instituts prévoient l'exercice de l'Ordre sacré, ils sont gouvernés par des clercs et ils sont reconnus comme tels par l'autorité de l'Église.[149] Dans ces Instituts, le ministère sacré est constitutif du charisme lui-même et il en déter-

[147] JEAN-PAUL II, Discours à l'Audience générale (22 février 1995), n. 6: *La Documentation catholique* 92 (1995), p. 306.

[148] Cf. CONC. ŒCUM. VAT. II, Décret *Perfectae caritatis*, n. 10.

[149] Cf. *Code de Droit canonique*, can. 588, § 2.

mine la nature, la fin et l'esprit. La présence des frères constitue une participation différenciée à la mission de l'Institut, avec des services assurés à l'intérieur de la communauté ou dans des tâches apostoliques, en collaboration avec ceux qui exercent le ministère sacerdotal.

Instituts mixtes

61. Certains Instituts religieux qui, dans le projet initial du fondateur, se présentaient comme des fraternités dans lesquelles tous les membres, prêtres et non-prêtres, étaient considérés comme égaux, ont évolué, à l'épreuve du temps, vers une forme différente. Il convient que ces Instituts, appelés « mixtes », examinent, à partir de l'approfondissement de leur charisme fondateur propre, l'opportunité et la possibilité de revenir à l'inspiration des origines.

Les Pères synodaux ont exprimé le vœu que dans ces Instituts soit reconnue à tous les religieux la parité des droits et des obligations, excepté ceux qui découlent de l'Ordre sacré.[150] Pour examiner et résoudre les problèmes concernant cette question, une commission spéciale a été instituée, dont il convient d'attendre les conclusions pour opérer les choix opportuns, selon ce qui sera légitimement déterminé.

[150] Cf. *Proposition* 10; Conc. œcum. Vat II, Décret *Perfectae caritatis*, n. 15.

62. L'Esprit, qui, en d'autres temps, a suscité de nombreuses formes de vie consacrée, ne cesse pas d'assister l'Église, soit en stimulant dans les Instituts déjà existants l'engagement à se renouveler dans la fidélité au charisme des origines, soit en prodiguant de nouveaux charismes à des hommes et à des femmes de notre temps, pour qu'ils fassent naître des institutions répondant aux défis d'aujourd'hui. Ce que l'on appelle les *nouvelles fondations,* aux caractéristiques dans une certaine mesure originales par rapport aux caractéristiques traditionnelles, sont un signe de cette intervention divine.

L'originalité des communautés nouvelles consiste souvent dans le fait qu'il s'agit de groupes d'hommes et de femmes, de clercs et de laïcs, de personnes mariées et célibataires, qui suivent un mode de vie particulier, inspiré parfois par l'une ou l'autre des formes traditionnelles ou bien adapté en fonction des exigences de la société actuelle. Leur engagement de vie évangélique s'exprime aussi sous des formes différentes, tandis que se manifeste, comme orientation générale, une aspiration intense à la vie communautaire, à la pauvreté et à la prière. Des clercs et des laïcs participent au gouvernement suivant leurs compétences. Les visées apostoliques s'ouvrent aux nécessités de la nouvelle évangélisation.

Si, d'une part, il faut se réjouir de l'action de l'Esprit, il est nécessaire, d'autre part, de procéder au *discernement des charismes*. Pour que l'on puisse parler de vie consacrée, le principe fondamental est que les traits spécifiques des nouvelles communautés et formes de vie apparaissent fondés sur les éléments théologiques et canoniques essentiels, qui sont le propre de la vie consacrée.[151] Ce discernement est nécessaire tant au niveau local qu'au niveau universel, en vue d'une obéissance commune à l'unique Esprit. Dans chaque diocèse, l'Évêque examinera l'orthodoxie et le témoignage de vie des fondateurs et des fondatrices de ces communautés, leur spiritualité, la sensibilité ecclésiale dans la réalisation de leur mission, les méthodes de formation et les modes d'entrée dans la communauté; il évaluera avec sagesse les faiblesses éventuelles, en attendant avec patience la preuve des fruits (cf. *Mt* 7,16), pour pouvoir reconnaître l'authenticité du charisme.[152] De manière particulière, il lui est demandé d'établir, à la lumière de critères clairs, l'idonéité de ceux qui, dans ces communautés, demandent à accéder aux Ordres sacrés.[153]

En vertu du même principe de discernement, on ne peut faire entrer dans la catégorie spécifique de la vie consacrée les formes d'engagement, cependant louables, que des couples chrétiens prennent dans certaines associations ou mouvements ecclésiaux, lorsque, dans l'intention de porter à la perfection de la charité leur amour

[151] Cf. *Code de Droit canonique,* can. 573; *Code des Canons des Églises orientales*, can. 410.

[152] Cf. *Proposition* 13, B.

[153] Cf. *Proposition* 13, C.

déjà en quelque sorte « consacré » dans le sacrement du mariage,[154] ils confirment par un vœu le devoir de la chasteté propre à la vie conjugale et, sans négliger leurs devoirs envers leurs enfants, ils professent la pauvreté et l'obéissance.[155] Par cette précision nécessaire sur la nature de ces expériences, on n'entend pas sous-estimer ce chemin de sanctification particulier, auquel n'est certes pas étrangère l'action de l'Esprit, infiniment riche de dons et d'inspirations.

Face à une telle profusion de dons et d'élans novateurs, il semble opportun de *créer une Commission pour les questions concernant les nouvelles formes de vie consacrée,* afin d'établir des critères d'authenticité qui soient utiles au discernement et aux décisions.[156] Entre autres tâches, cette commission devra voir, à la lumière de l'expérience de ces dernières décennies, quelles formes nouvelles de consécration l'autorité ecclésiastique peut reconnaître officiellement, avec prudence pastorale et pour le bien commun, et proposer aux fidèles qui aspirent à une vie chrétienne plus parfaite.

Ces nouvelles associations de vie évangélique *ne remplacent pas* les institutions antérieures, qui continuent à occuper la place éminente que la tradition leur a assignée. Les formes nouvelles sont elles aussi un don de l'Esprit, pour que l'Église suive son Seigneur dans un élan perma-

[154] Cf. Conc. œcum. Vat. II, Const. past. *Gaudium et spes,* n. 48.

[155] Cf. *Proposition* 13, A.

[156] Cf. *Proposition* 13, B.

nent de générosité, attentive aux appels de Dieu qui s'expriment à travers les signes des temps. Ainsi, l'Église se présente au monde, diversifiée dans ses formes de sainteté et de services, « signe et instrument de l'union intime avec Dieu et de l'unité de tout le genre humain ».[157] Les Instituts anciens, dont beaucoup sont passés par le crible d'épreuves très dures, supportées avec courage au long des siècles, peuvent s'enrichir grâce au dialogue et à l'échange de dons avec les fondations qui naissent en notre temps.

Ainsi, la vigueur des diverses institutions de vie consacrée, des plus anciennes aux plus récentes, de même que le dynamisme des communautés nouvelles, entretiendront la fidélité à l'Esprit Saint, qui est principe de communion et de nouveauté permanente de vie.

III. REGARD VERS L'AVENIR

Difficultés et perspectives

63. Dans plusieurs régions du monde, les changements actuels de la société et la diminution du nombre des vocations pèsent sur la vie consacrée. Les œuvres apostoliques de nombreux Instituts et leur présence elle-même dans certaines Églises locales sont mises en danger. Comme cela s'est produit en d'autres périodes de l'histoire, des Instituts courent même le risque de dispa-

[157] CONC. ŒCUM. VAT. II, Const. dogm. *Lumen gentium*, n. 1.

raître. L'Église universelle leur est extrêmement reconnaissante d'avoir tant contribué à sa construction, par le témoignage et par le service.[158] Leur affaiblissement actuel ne supprime pas les mérites et les fruits obtenus grâce à leurs efforts.

D'autres Instituts rencontrent plutôt le problème de la réorganisation des œuvres. Cette tâche, difficile et souvent douloureuse, exige recherche et discernement à la lumière de certains critères. Il convient, par exemple, de sauvegarder le sens du charisme propre, de promouvoir la vie fraternelle, d'être attentif aux besoins de l'Église universelle et particulière, de s'occuper de ce que le monde néglige, de répondre généreusement et avec audace, même par des actions nécessairement limitées, aux nouvelles formes de pauvreté, surtout dans les lieux les plus reculés.[159]

Les différentes difficultés, résultant de la réduction du personnel et de la diminution des initiatives, *ne doivent en aucune manière faire perdre confiance dans la force évangélique de la vie consacrée,* qui sera toujours d'actualité et agissante dans l'Église. Si aucun des Instituts ne peut prétendre à la pérennité, la vie consacrée n'en continuera pas moins à nourrir parmi les fidèles la réponse de l'amour envers Dieu et envers les frères. Pour cela, il est nécessaire de distinguer

[158] Cf. *Proposition* 24.

[159] Cf. Congrégation pour les Instituts de Vie consacrée et les Sociétés de Vie apostolique, Instr. *La vie fraternelle en communauté « Congregavit nos in unum Christi amor »* (2 février 1994), n. 67: *La Documentation catholique* 91 (1994), p. 432.

entre le *destin historique* d'un Institut déterminé ou d'une forme de vie consacrée et la *mission ecclésiale* de la vie consacrée comme telle. Le premier peut se transformer à cause des changements dus aux circonstances, la seconde est appelée à durer.

Cela est vrai pour la vie consacrée de forme contemplative comme pour celle qui est vouée aux œuvres d'apostolat. Dans son ensemble, sous l'action toujours nouvelle de l'Esprit, elle doit toujours donner son témoignage éclairant de l'unité indissoluble entre l'amour de Dieu et l'amour du prochain, comme mémoire vivante de la fécondité, même humaine et sociale, de l'amour de Dieu. Les nouvelles situations de pénurie doivent donc être abordées avec la sérénité de ceux qui savent qu'il est demandé à chacun plus *l'engagement de la fidélité que la réussite*. On doit absolument éviter le véritable échec de la vie consacrée, qui ne vient pas de la baisse numérique, mais de la perte de l'adhésion spirituelle au Seigneur, à la vocation propre et à la mission. En persévérant fidèlement dans cette adhésion, on manifeste au contraire, avec une grande clarté, même face au monde, une ferme confiance dans le Seigneur de l'histoire, qui tient entre ses mains les temps et la destinée des personnes, des institutions et des peuples, et donc aussi la mise en œuvre de ses dons aux différentes époques. Les douloureuses situations de crise poussent les personnes consacrées à proclamer avec force la foi dans la Mort et la Résurrection du Christ, pour devenir des signes visibles du passage de la mort à la vie.

Nouvel élan de la pastorale des vocations

64. La mission de la vie consacrée et la vitalité des Instituts dépendent, certes, de la fidélité active avec laquelle les consacrés répondent à leur vocation, mais leur avenir est lié au fait que *d'autres hommes et d'autres femmes accueillent généreusement l'appel du Seigneur*. Le problème des vocations est un véritable défi, lancé directement aux Instituts, mais qui implique toute l'Église. D'importantes forces spirituelles et matérielles sont mises en œuvre dans la pastorale des vocations, mais les résultats ne sont pas toujours à la hauteur des attentes et des efforts. Malgré une augmentation dans les jeunes Églises et dans celles qui ont subi des persécutions de la part de régimes totalitaires, les vocations à la vie consacrée se font parfois rares dans les pays traditionnellement riches en vocations notamment missionnaires.

Cette situation difficile met à l'épreuve les personnes consacrées qui s'interrogent parfois: peut-être avons-nous perdu la capacité d'attirer de nouvelles vocations? Il faut avoir foi dans le Seigneur Jésus, qui continue à appeler à sa suite, et se confier à l'Esprit Saint, auteur et inspirateur des charismes de la vie consacrée. Heureux de voir l'action de l'Esprit, qui rajeunit l'Épouse du Christ, en faisant s'épanouir la vie consacrée dans de nombreux pays, nous devons adresser une prière instante au Maître de la moisson, pour qu'il envoie des ouvriers dans son Église, afin de faire face aux urgences de la nouvelle évangélisation (cf. *Mt* 9,37-38). Hormis la promotion de la prière pour les vocations, il est urgent d'encourager fortement, par une annonce explicite et par une catéchèse adaptée, ceux qui sont appelés à la vie consacrée pour qu'ils donnent une réponse libre, mais prompte et généreuse, qui rend opérante la grâce de la vocation.

L'invitation de Jésus: « Venez et voyez » (*Jn* 1,39) demeure encore aujourd'hui *la règle d'or* de la pastorale des vocations. Celle-ci tend à montrer, à l'exemple des fondateurs et des fondatrices, *l'attrait de la personne du Seigneur Jésus* et la beauté du don total de soi pour la cause de l'Évangile. La première tâche de tous les consacrés et de toutes les consacrées consiste donc à proposer courageusement, par la parole et par l'exemple, l'idéal de la *sequela Christi,* en affermissant ensuite la réponse aux motions de l'Esprit dans le cœur des personnes appelées.

Après l'enthousiasme de la première rencontre avec le Christ, il faudra évidemment l'effort patient de la réponse quotidienne, qui fait de la vocation une histoire d'amitié avec le Seigneur. À cette fin, la pastorale des vocations aura recours à des aides appropriées, comme la *direction spirituelle,* pour nourrir cette réponse d'amour personnel envers le Seigneur, condition essentielle pour devenir disciple et apôtre de son Royaume.

Cela étant, si la multiplication des vocations dans différentes parties du monde autorise l'optimisme et l'espérance, leur raréfaction dans d'autres régions ne doit pas conduire au découragement, ni à la tentation d'un recrutement facile et imprudent. Il est nécessaire que la mission de promouvoir les vocations soit accomplie de manière à apparaître toujours plus comme *un engagement commun de toute l'Église*.[160] Cette mission exige donc l'active collaboration de pasteurs, de religieux, de familles et d'éducateurs, car elle correspond à un service qui fait partie intégrante de la pastorale d'ensemble de chaque Église particulière. On souhaite qu'il y ait dans chaque diocèse ce *service commun,* qui coordonne et décuple les forces, sans toutefois compromettre l'activité de chaque Institut en ce qui concerne les vocations, et même qui la favorise.[161]

Cette collaboration active de tout le peuple de Dieu, soutenue par la Providence, ne pourra qu'attirer l'abondance des dons divins. La solidarité chrétienne doit permettre de satisfaire les besoins de la formation pour les vocations dans les pays économiquement les plus pauvres. La promotion des vocations dans ces pays doit être faite par les différents Instituts en pleine harmonie avec les Églises locales, avec comme point de départ une insertion active et durable dans leur

[160] Cf. *Proposition* 48, A.
[161] Cf. *Proposition* 48, B.

démarche pastorale.[162] La manière la plus authentique de contribuer à l'action de l'Esprit consistera à investir généreusement les meilleures énergies pour les vocations, notamment par une attention dévouée à la pastorale des jeunes.

La formation initiale

65. L'Assemblée synodale a accordé une attention particulière à la *formation* de ceux qui désirent se consacrer au Seigneur,[163] car elle a reconnu son importance décisive. *L'objectif central* de la démarche de formation est la préparation de la personne à la consécration totale d'elle-même à Dieu dans la *sequela Christi,* au service de la mission. Répondre « oui » à l'appel du Seigneur en s'engageant personnellement dans la maturation progressive de sa vocation, cela relève de la responsabilité inaliénable de ceux qui sont appelés, qui doivent ouvrir leur propre vie à l'action de l'Esprit Saint; cela suppose de suivre généreusement l'itinéraire de formation, en accueillant avec foi les médiations que proposent le Seigneur et l'Église.[164]

La formation devra, par conséquent, imprégner en profondeur la personne elle-même, de sorte que tout son comportement, dans les mo-

[162] Cf. *Proposition* 48, C.

[163] Cf. *Proposition* 49, A.

[164] Cf. Congrégation pour les Instituts de Vie consacrée et les Sociétés de Vie apostolique, Instr. *Potissimum institutioni* (2 février 1990), n. 29: *AAS* 82 (1990), p. 493.

ments importants et dans les circonstances ordinaires de la vie, conduise à révéler son appartenance totale et joyeuse à Dieu.[165] Du fait que la finalité de la vie consacrée consiste à être configuré au Seigneur Jésus dans *son oblation totale de lui-même*,[166] c'est à cela surtout que doit tendre la formation. Il s'agit d'un itinéraire qui permet de s'approprier progressivement les sentiments du Christ envers son Père.

Si tel est le but de la vie consacrée, la démarche qui y prépare devra avoir et montrer *un caractère de totalité*: elle devra être une formation de tout l'être,[167] dans les différentes composantes de sa personnalité, dans les comportements comme dans les intentions. Parce qu'elle tend précisément à la transformation de toute la personne, il est clair que *la tâche de la formation n'est jamais achevée*. En effet, il convient d'offrir sans cesse aux personnes consacrées des occasions d'affermir leur adhésion au charisme et à la mission de leur Institut.

Pour être complète, la formation englobera tous les domaines de la vie chrétienne et de la vie consacrée. On doit par conséquent prévoir une préparation humaine, culturelle, spirituelle et pastorale, en prenant soin de favoriser l'intégration harmonieuse des différents aspects. À la for-

[165] Cf. *Proposition* 49, B.

[166] Cf. Congrégation des Religieux et des Instituts séculiers, Instruction *Éléments essentiels de la Doctrine de l'Église sur la Vie consacrée* (31 mai 1983), n. 5: *La Documentation catholique* 80 (1983), pp. 889-890.

[167] Cf. *Code de Droit canonique*, can. 607, § 1.

mation initiale, comprise comme une évolution progressive qui passe par toutes les étapes de la maturation personnelle — de la maturation psychologique et spirituelle à la maturation théologique et pastorale —, on doit ménager un laps de temps suffisamment long qui, dans le cas des vocations au sacerdoce, puisse coïncider et s'harmoniser avec un programme d'études spécifique, intégré dans un parcours de formation plus large.

La tâche des formateurs et des formatrices

66. Par le don incessant du Christ et de l'Esprit, Dieu le Père est le formateur par excellence de ceux qui se consacrent à Lui. Mais, dans un tel processus, il se sert de la médiation humaine et place aux côtés de ceux qu'il appelle quelques frères et sœurs aînés. La formation est ainsi la participation à l'action du Père qui, par l'Esprit, développe dans le cœur des jeunes, garçons et filles, les sentiments du Fils. Les formateurs et les formatrices doivent donc être des personnes confirmées sur le chemin de la recherche de Dieu, pour être en mesure d'accompagner aussi d'autres personnes dans cet itinéraire. Attentifs à l'action de la grâce, ils sauront signaler les obstacles les moins évidents, mais surtout, ils montreront la beauté de la *sequela Christi* et la valeur du charisme par lequel elle se réalise. Les connaissances de la sagesse spirituelle seront associées à celles qu'offrent les moyens humains et qui aideront au discernement de la vocation et à la formation de

l'homme nouveau, pour qu'il devienne vraiment libre. L'entretien personnel est un moyen fondamental de formation auquel il convient de recourir avec régularité et avec une certaine fréquence, car il s'agit d'une pratique efficace, confirmée et irremplaçable.

Devant des tâches aussi délicates, il apparaît vraiment important de préparer des formateurs qualifiés qui veilleront à accomplir leur service dans une grande harmonie avec la démarche de toute l'Église. Il sera opportun de créer des institutions appropriées pour *la formation des formateurs,* autant que faire se peut en des lieux où il sera possible de rester en contact avec la culture dans laquelle les formateurs exerceront ensuite leur service pastoral. Dans cette tâche de formation, les Instituts déjà bien établis apporteront leur aide aux Instituts de fondation plus récente, grâce à la contribution de certains des meilleurs de leurs membres.[168]

Une formation communautaire et apostolique

67. Puisque la formation doit être aussi *communautaire,* la communauté est, pour les Instituts de vie religieuse et les Sociétés de vie apostolique, son lieu privilégié. Elle permet l'initiation à l'effort et à la joie de la vie commune. Dans la vie fraternelle, chacun apprend à vivre avec ceux que Dieu a placés à ses côtés, acceptant leurs

[168] Cf. *Proposition* 50.

qualités en même temps que leurs différences et leurs limites. En particulier, il apprend à partager les dons reçus pour l'édification de tous, car « à chacun la manifestation de l'Esprit est donnée en vue du bien commun » (*1 Co* 12,7).[169] En même temps, la vie communautaire doit, dès le commencement de la formation, faire apparaître la dimension missionnaire intrinsèque de la consécration. Pour cela, dans les Instituts de vie consacrée, pendant la période initiale de la formation, il sera utile de procéder à des expériences concrètes et accompagnées avec prudence par le formateur ou la formatrice, afin de développer les dispositions apostoliques, les capacités d'adaptation et l'esprit d'initiative, en relation avec la culture environnante.

S'il est important que la personne consacrée se forme progressivement une conscience critique selon l'Évangile à l'égard des valeurs et des contre-valeurs de sa propre culture et de celles qu'elle rencontrera dans son futur champ d'activité, elle doit aussi s'exercer à l'art difficile de construire l'unité de sa vie, ainsi que de lier étroitement la charité envers Dieu et celle envers ses frères et ses sœurs, en saisissant que la prière est l'âme de l'apostolat, mais que l'apostolat vivifie et stimule la prière.

[169] Cf. Congrégation pour les Instituts de Vie consacrée et les Sociétés de Vie apostolique, Instruction *La vie fraternelle en communauté « Congregavit nos in unum Christi amor »* (2 février 1994), nn. 32-33: *La Documentation catholique* 91 (1994), p. 420.

Nécessité d'une ratio *complète et mise à jour*

68. Dans les Instituts féminins comme pour les religieux frères des Instituts masculins, il est recommandé de prévoir une période réservée à la formation, qui durera jusqu'à la profession perpétuelle. Cela vaut aussi, en substance, pour les communautés cloîtrées, qui auront soin d'élaborer un programme approprié, afin de donner une formation authentique à la vie contemplative et à sa mission particulière dans l'Église.

Les Pères synodaux ont chaleureusement invité tous les Instituts de vie consacrée et les Sociétés de vie apostolique à élaborer dès que possible une *ratio institutionis,* c'est-à-dire un projet de formation inspiré du charisme fondateur, qui présente de manière claire et dynamique le chemin à suivre pour assimiler pleinement la spiritualité de l'Institut. La *ratio* répond aujourd'hui à une véritable urgence: d'un côté, elle montre comment transmettre l'esprit de l'Institut, pour qu'il soit vécu authentiquement par les nouvelles générations, dans la diversité des cultures et des situations géographiques; d'un autre côté, elle expose aux personnes consacrées les moyens de vivre cet esprit dans les différentes étapes de l'existence, en progressant vers la pleine maturité de la foi au Christ.

S'il est donc vrai que le renouveau de la vie consacrée dépend principalement de la formation, il est aussi vrai que cette dernière est, à son tour, liée à la capacité de proposer une méthode, riche en sagesse spirituelle et pédagogique, qui conduise progressivement ceux qui aspirent à se consacrer à s'approprier les sentiments du Christ Seigneur. La formation est une démarche vitale qui amène à se convertir au Verbe de Dieu jusque dans la profondeur de l'être et, en même temps, à apprendre l'art de chercher les signes de Dieu au milieu des réalités du monde. À une époque où la culture se détache de plus en plus des valeurs religieuses, cette démarche de formation est doublement importante: grâce à elle, la personne consacrée peut non seulement continuer à « voir » Dieu avec les yeux de la foi, dans un monde qui ignore sa présence, mais elle réussit aussi à en rendre la présence d'une certaine manière « sensible », par un témoignage donné selon son charisme.

La formation permanente

69. Pour les Instituts de vie apostolique comme pour ceux de vie contemplative, la formation permanente fait partie des exigences de la consécration religieuse. Le processus de la formation, comme on l'a dit, ne se réduit pas à sa phase initiale, puisque, à cause des limites humaines, la personne consacrée ne pourra jamais considérer avoir achevé la gestation de cet être nouveau, qui éprouve en lui-même, dans toutes les circonstances de la vie, les sentiments mêmes du Christ. La formation *initiale* doit donc être affer-

mie par la formation *permanente,* prédisposant le sujet à se laisser former tous les jours de sa vie.[170]

En conséquence, il sera très important que chaque Institut prévoie, dans le cadre de la *ratio institutionis,* la définition, autant que possible précise et systématique, d'un projet de formation permanente, dont le but primordial est de guider toutes les personnes consacrées au moyen d'un programme continu tout au long de l'existence. Personne ne peut se dispenser de rester attentif à sa croissance humaine et religieuse; de même, personne ne peut présumer de lui-même et conduire sa propre vie de manière autosuffisante. À aucune étape de la vie on ne peut se considérer comme assez sûr de soi et fervent pour exclure la nécessité d'efforts déterminés pour assurer sa persévérance dans la fidélité, de même qu'il n'existe pas non plus d'âge où l'on puisse voir achevée la maturation de la personne.

Dans le dynamisme de la fidélité

70. Il y a une jeunesse de l'esprit qui demeure dans le temps: elle est liée au fait que le sujet cherche et trouve, dans toutes les étapes de sa vie, une tâche différente à accomplir, une manière spécifique d'être, de servir et d'aimer.[171]

[170] Cf. *Proposition* 51.

[171] Cf. Congrégation pour les Instituts de Vie consacrée et les Sociétés de Vie apostolique, Instruction *La vie fraternelle en communauté « Congregavit nos in unum Christi amor »* (2 février 1994), nn. 43-45: *La Documentation catholique* 91 (1994), pp. 423-424.

Dans la vie consacrée, *les premières années de pleine insertion dans l'activité apostolique* constituent une période elle-même critique, marquée par le passage d'une vie guidée à une situation de *responsabilité entière dans le travail.* Il sera important que les personnes consacrées jeunes soient soutenues et accompagnées par un frère ou une sœur qui les aide à vivre pleinement la jeunesse de leur amour et de leur enthousiasme pour le Christ.

L'étape suivante peut présenter *le risque de l'habitude* et la tentation qui en découle de la déception à cause de la pauvreté des résultats. Il est alors nécessaire d'aider les personnes consacrées d'âge moyen à relire, à la lumière de l'Évangile et de l'inspiration de leur charisme, leur option première, en ne confondant pas l'absolu du don de soi avec l'absolu du résultat. Cela permettra de donner un élan nouveau et des motivations nouvelles au choix personnel. C'est le temps de la recherche de l'essentiel.

Conjointement à la croissance personnelle, *l'étape de l'âge mûr* peut comporter *le danger d'un certain individualisme,* accompagné de la peur de ne pas être adapté à son époque, ainsi que de phénomènes de raidissement, de fermeture et de relâchement. La formation permanente a ici pour but d'aider non seulement à retrouver une pratique spirituelle et apostolique plus ardente, mais encore à découvrir la spécificité de cette étape de l'existence. En effet, certains aspects de la personnalité étant purifiés, l'offrande de soi à Dieu se fait plus pure et plus généreuse et elle rejaillit sur les frères et les sœurs, plus paisible et plus discrète, et aussi plus transparente et plus riche de grâce. C'est le don et l'expérience de la maternité et de la paternité spirituels.

Avec *le grand âge* se posent des problèmes nouveaux, qui doivent être abordés de manière préventive grâce à un programme avisé de soutien spirituel. L'abandon progressif de l'activité et, dans certains cas, la maladie et l'inaction forcée, constituent une expérience qui peut devenir profondément éducatrice. Moment souvent douloureux, cette étape offre cependant à la personne consacrée âgée la possibilité de se laisser façonner par l'expérience pascale,[172] par une configuration au Christ crucifié, Lui qui accomplit en toutes choses la volonté du Père et qui s'abandonne entre ses mains jusqu'à remettre son esprit. Cette configuration est une manière nouvelle de vivre la consécration, qui n'est plus liée à l'efficacité d'une responsabilité de gouvernement ou d'un travail apostolique.

Quand vient ensuite *le moment de s'unir à l'heure suprême de la passion du Christ,* la personne consacrée sait que le Père achève désormais en elle ce mystérieux chemin de formation, commencé depuis longtemps. La mort sera alors attendue et préparée comme l'acte suprême d'amour et de don de soi.

[172] Cf. Congrégation pour les Instituts de Vie consacrée et les Sociétés de Vie apostolique, Instruction *Potissimum institutioni* (2 février 1990), n. 70: *AAS* 82 (1990), pp. 513-514.

Il convient d'ajouter que l'on peut connaître des situations critiques à toutes les étapes de la vie en raison de circonstances extérieures — changement de poste ou de service, difficultés dans le travail ou échec apostolique, incompréhension ou mise à l'écart, etc. — ou de motifs plus strictement personnels — maladies physiques ou psychiques, aridité spirituelle, deuils, problèmes de relations inter-personnelles, fortes tentations, crises de la foi et de l'identité, sentiment d'inutilité — ou d'autres encore. Lorsqu'il lui devient plus difficile d'être fidèle, il faut offrir à la personne le soutien d'une confiance plus grande et d'un amour plus fort, au niveau personnel comme au niveau communautaire. Par-dessus tout, la proximité affectueuse du Supérieur est alors nécessaire; l'aide expérimentée d'un frère ou d'une sœur sera d'un grand réconfort; leur présence prévenante et leur disponibilité pourront conduire à redécouvrir le sens de l'alliance que Dieu a conclue le premier et qu'il n'entend pas renier. La personne éprouvée parviendra ainsi à accepter la purification et le dépouillement comme des voies privilégiées pour suivre le Christ crucifié. L'épreuve elle-même apparaîtra comme un moyen providentiel de formation entre les mains du Père, comme un combat non seulement *psychologique,* mené par le moi dans sa relation avec lui-même et avec ses faiblesses, mais aussi *religieux,* marqué chaque jour par la présence de Dieu et par la puissance de la Croix.

71. Si la personne à toutes les étapes de sa vie est le sujet de sa formation, la finalité de la formation est l'être humain intégral, appelé à chercher et à aimer Dieu « de tout son cœur, de toute son âme et de tout son pouvoir » (*Dt* 6,5) et son prochain comme lui-même (cf. *Lv* 19,18; *Mt* 22,37-39). L'amour de Dieu et des frères est une force dynamique, qui peut constamment être source d'inspiration sur le chemin de la croissance et de la fidélité.

La vie dans l'Esprit est naturellement première. En elle, la personne consacrée retrouve son identité et une sérénité profonde; elle accroît son attention aux appels quotidiens de la Parole de Dieu et elle se laisse guider par l'intuition originelle de son Institut. Sous l'action de l'Esprit, les temps d'oraison, de silence et de solitude doivent être préservés avec persévérance, en demandant avec insistance au Très-Haut le don de la sagesse dans le labeur de chaque jour (cf. *Sg* 9,10).

La dimension humaine et fraternelle implique la connaissance de soi et de ses propres limites, pour être stimulé et soutenu de manière appropriée sur le chemin de la libération totale. Dans le contexte actuel, on accordera une importance particulière à la liberté intérieure de la personne consacrée, à l'intégration de son affectivité, à la capacité de communiquer avec tous, spécialement dans sa propre communauté, à la sérénité de l'esprit, à la compassion à l'égard de ceux qui souffrent, à l'amour pour la vérité et à l'harmonisation progressive entre le dire et le faire.

La dimension apostolique ouvre l'esprit et le cœur de la personne consacrée et la dispose à un effort continuel dans l'activité, qui est le signe de l'amour du Christ qui la presse (cf. *2 Co* 5,14). Pratiquement, cela signifiera la mise à jour des méthodes et des buts des activités apostoliques, dans la fidélité à l'esprit et aux intentions du fondateur ou de la fondatrice et aux traditions forgées ultérieurement, dans le milieu où l'on travaille, en prenant en compte les conditions historiques et culturelles, universelles ou locales, qui ont varié.

La dimension culturelle et professionnelle, en s'appuyant sur une formation théologique solide qui rend apte au discernement, nécessite une mise à jour continuelle et une attention particulière aux différents domaines auxquels s'adresse chaque charisme. Il est donc nécessaire de garder l'esprit ouvert et le plus docile possible, pour que le service soit conçu et réalisé selon les exigences du temps, en tirant profit des moyens fournis par le progrès culturel.

Enfin, *du point de vue du charisme,* les autres exigences se trouvent réunies, comme en une synthèse qui demande un approfondissement continuel de la consécration particulière dans ses différentes composantes, apostoliques, mais aussi ascétiques et mystiques. Cela comporte pour tous les membres une étude assidue de l'esprit de l'Institut d'appartenance, de son histoire et de sa mission, pour mieux l'assimiler personnellement et en communauté.[173]

[173] Cf. *ibid.*, n. 68: *l.c.*, p. 512.

CHAPITRE III

SERVITIUM CARITATIS

LA VIE CONSACRÉE, MANIFESTATION DE L'AMOUR DE DIEU DANS LE MONDE

Consacrés pour la mission

72. À l'image de Jésus, Fils bien-aimé « que le Père a consacré et envoyé dans le monde » (*Jn* 10,36), ceux que Dieu appelle à sa suite sont eux aussi consacrés et envoyés dans le monde pour imiter son exemple et poursuivre sa mission. Cela s'applique à tous les disciples en général. Toutefois, cela s'applique de manière particulière à ceux qui sont appelés à suivre le Christ « de plus près », dans la forme spécifique de la vie consacrée, et à faire de lui le « tout » de leur existence. Leur appel comprend donc l'engagement à *se donner totalement à la mission;* de plus, sous l'action de l'Esprit Saint, qui est à l'origine de toute vocation et de tout charisme, la vie consacrée elle-même devient une mission, comme l'a été la vie de Jésus tout entière. De ce point de vue aussi, la profession des conseils évangéliques, qui rend la personne totalement libre pour la cause de l'Évangile, est d'une importance manifeste. On doit donc affirmer que *la mission*

est essentielle pour tous les Instituts, non seulement les Instituts de vie apostolique active, mais aussi les Instituts de vie contemplative.

La mission, en effet, avant de se caractériser par les œuvres extérieures, consiste à rendre présent au monde le Christ lui-même par le témoignage personnel. Voilà le défi, voilà le but premier de la vie consacrée! Plus on se laisse configurer au Christ, plus on le rend présent et agissant dans le monde pour le salut des hommes.

On peut dire alors que la personne consacrée est « en mission », en vertu de sa consécration même, dont elle témoigne en fonction du projet de son Institut. Quand le charisme fondateur prévoit des activités pastorales, il est évident que le témoignage de la vie et les œuvres d'apostolat ou de promotion humaine sont également nécessaires: en tout cela, le Christ est rendu présent, lui qui est à la fois consacré à la gloire du Père et envoyé au monde pour le salut de ses frères et de ses sœurs.[174]

En outre, la vie religieuse prend part à la mission du Christ par un autre élément qui lui est propre, *la vie fraternelle en communauté pour la mission.* La vie religieuse sera donc d'autant plus apostolique que le don de soi au Seigneur Jésus sera plus intérieur, la forme communautaire d'existence plus fraternelle, l'engagement dans la mission spécifique de l'Institut plus ardent.

[174] Cf. Conc. œcum. Vat. II, Const. dogm. *Lumen gentium,* n. 46.

73. La vie consacrée reçoit la mission prophétique *de rappeler et de servir le dessein de Dieu sur les hommes,* tel que l'annonce l'Écriture et que la lecture attentive des signes de l'action providentielle de Dieu dans l'histoire le fait apparaître. C'est le projet d'une humanité sauvée et réconciliée (cf. *Col* 2,20-22). Pour bien accomplir ce service, les personnes consacrées doivent avoir une profonde expérience de Dieu et prendre conscience des défis de leur temps, en découvrant leur sens théologique profond dans un discernement pratiqué avec l'aide de l'Esprit. En effet, dans les événements de l'histoire se cache souvent l'appel de Dieu à travailler selon ses desseins en s'intéressant de manière dynamique et féconde aux questions de notre temps.[175]

Comme le dit le Concile, le discernement des signes des temps doit être mené à la lumière de l'Évangile, pour que l'on puisse « répondre aux questions permanentes des hommes sur le sens de la vie présente et de la vie future, et sur leurs relations réciproques ».[176] Il est donc nécessaire d'ouvrir son âme aux suggestions intérieures de l'Esprit, qui invite à saisir en profondeur les desseins de la Providence. L'Esprit appelle la vie consacrée à élaborer de nouvelles réponses aux problèmes nouveaux du monde d'aujourd'hui. Ce sont des appels de Dieu que seules des âmes

[175] Cf. *Proposition* 35, A.
[176] Conc. œcum. Vat. II, Const. past. *Gaudium et spes,* n. 4.

habituées à chercher en tout la volonté de Dieu savent recevoir avec fidélité puis traduire avec courage par des choix qui s'accordent avec le charisme originel et avec les exigences de la situation historique concrète.

Face aux problèmes et aux urgences multiples qui semblent parfois compromettre et même menacer la vie consacrée, ceux qui ont cette vocation ne peuvent qu'éprouver la nécessité de s'engager à porter dans leur cœur et dans leur prière les nombreux besoins du monde entier, tout en œuvrant avec ardeur dans les domaines liés au charisme fondateur. À l'évidence, leur zèle apostolique devra être guidé par *le discernement surnaturel* qui sait distinguer ce qui vient de l'Esprit de ce qui lui est opposé (cf. *Ga* 5,16-17.22; *1 Jn* 4,6). Fidèle à la Règle et aux Constitutions, ce discernement est fait dans la pleine communion avec l'Église.[177]

Ainsi, la vie consacrée ne se contentera pas de lire les signes des temps, mais elle contribuera aussi à élaborer et à mettre en œuvre *de nouveaux projets d'évangélisation* pour les situations actuelles. Tout cela se fera dans la certitude de foi que l'Esprit sait donner les réponses appropriées aux questions les plus délicates. À ce sujet, il sera bon de retrouver ce qu'ont toujours enseigné les grands maîtres de l'action apostolique: il faut faire confiance à Dieu comme si tout dépendait

[177] Cf. CONC. ŒCUM. VAT. II, Const. dogm. *Lumen gentium,* n. 12.

de lui et, en même temps, s'engager avec générosité comme si tout dépendait de nous.

Collaboration ecclésiale et spiritualité apostolique

74. Tout doit être fait *en communion et en dialogue* avec les autres composantes ecclésiales. Les défis de la mission sont si importants qu'ils ne peuvent être relevés efficacement sans la collaboration de tous les membres de l'Église, dans le discernement comme dans l'action. Il est difficile pour les individus de détenir des réponses suffisantes; en revanche, celles-ci peuvent jaillir de la confrontation et du dialogue. En particulier, la communion active entre les différents charismes ne manquera pas d'assurer, au-delà d'un enrichissement mutuel, une efficacité plus grande dans la mission. L'expérience de ces dernières années confirme amplement que « le dialogue est le nouveau nom de la charité »,[178] surtout de la charité vécue dans l'Église; le dialogue aide à voir les problèmes dans leurs dimensions réelles et il permet d'y faire face avec de meilleures chances de succès. Par le fait même qu'elle cultive la valeur de la vie fraternelle, la vie consacrée se présente comme une expérience privilégiée de dialogue. Elle peut donc contribuer à créer un climat d'acceptation mutuelle, dans lequel les différents sujets ecclésiaux, se sentant mis en valeur pour ce

[178] PAUL VI, Encycl. *Ecclesiam suam* (6 août 1964), III: *AAS* 56 (1964), p. 639.

qu'ils sont, se rejoignent avec plus de conviction dans la communion de l'Église, elle-même tendue vers la grande mission universelle.

Les Instituts engagés dans les diverses formes de service apostolique doivent enfin cultiver *une solide spiritualité de l'action,* en voyant Dieu en toute chose et toute chose en Dieu. En effet, « on doit savoir que, si une bonne manière d'ordonner sa vie demande que l'on passe de la vie active à la vie contemplative, il sera toutefois la plupart du temps utile que l'esprit retourne de la vie contemplative à la vie active, pour que la flamme allumée dans l'intelligence par la contemplation donne toute sa perfection dans l'action. Ainsi, la vie active doit nous conduire à la vie contemplative et, dès lors, la vie contemplative, prenant appui sur ce que nous avons perçu par l'intelligence, nous ramènera plus sûrement à l'action ».[179] Jésus nous a lui-même parfaitement montré comment on peut unir la communion avec le Père et une vie active intense. Sans une constante recherche de cette unité, le risque de l'effondrement intérieur, du désarroi, du découragement est continuellement présent. L'union étroite entre contemplation et action permettra, aujourd'hui comme hier, de faire face aux missions les plus difficiles.

[179] S. Grégoire le Grand, *Hom. in Ezechiel,* II, II, 11: *SC* 360, p. 113.

I. L'AMOUR JUSQU'AU BOUT

Aimer dans le cœur du Christ

75. « Ayant aimé les siens qui étaient dans le monde, il les aima jusqu'au bout. Au cours d'un repas, [...] il se lève de table [...] et il commença à laver les pieds des disciples et à les essuyer avec le linge dont il était ceint » (*Jn* 13,1-2.4-5).

Pendant le lavement des pieds, Jésus dévoile la profondeur de l'amour de Dieu pour l'homme: en Lui, Dieu lui-même se met au service des hommes! Il révèle en même temps le sens de la vie chrétienne et, à plus forte raison, de la vie consacrée, qui est une *vie d'amour oblatif,* de service concret et généreux. En se mettant à la suite du Fils de l'homme, qui « n'est pas venu pour être servi, mais pour servir » (*Mt* 20,28), la vie consacrée, du moins dans les meilleures périodes de sa longue histoire, s'est caractérisée par ce « lavement des pieds », c'est-à-dire par le service privilégié des plus pauvres et des plus démunis. Si, d'un côté, elle contemple le mystère sublime du Verbe dans le sein du Père (cf. *Jn* 1,1), de l'autre, elle suit ce même Verbe qui s'est fait chair (cf. *Jn* 1,14), s'abaisse, s'humilie pour servir les hommes. Les personnes qui, aujourd'hui encore, suivent le Christ dans la voie des conseils évangéliques veulent aller là où il est allé et faire ce qu'il a fait.

Sans cesse, il appelle à lui de nouveaux disciples, hommes et femmes, pour leur communiquer, grâce à l'effusion de l'Esprit (cf. *Rm* 5,5), l'*agapê* divine, sa façon d'aimer, et pour les pousser ainsi à servir les autres dans l'humble don d'eux-mêmes, loin des calculs intéressés. Pierre qui, en extase devant la lumière de la Transfiguration, s'écrie: « Seigneur, il est heureux que nous soyons ici » (*Mt* 17,4), est invité à revenir sur les routes du monde, pour continuer à servir le Royaume de Dieu: « Descends, Pierre! Tu voulais te reposer sur la montagne; descends, proclame la Parole, interviens à temps et à contretemps, reproche, exhorte, encourage avec grande bonté et par toute sorte d'enseignement. Travaille, prends de la peine, souffre des tortures, pour posséder ce que signifient les vêtements blancs du Seigneur, par la blancheur et par la beauté de ton action droite inspirée par la charité ».[180] S'il garde son regard fixé sur le visage du Seigneur, l'apôtre n'en diminue pas pour autant son engagement en faveur de l'homme; au contraire, il le renforce, en lui donnant une nouvelle capacité d'agir sur l'histoire, pour la libérer de ce qui la corrompt.

La recherche de la beauté divine pousse les personnes consacrées à se préoccuper de l'image divine, qui est déformée sur le visage de leurs frères et de leurs sœurs, visages défigurés par la faim, visages déçus par les promesses politiques, visages humiliés de qui voit mépriser sa culture, visages épouvantés par la violence quotidienne et aveugle, visages tourmentés de jeunes, visages de

[180] S. AUGUSTIN, *Sermon 78,* 6: *PL* 38, 492.

femmes blessées et humiliées, visages épuisés de migrants qui n'ont pas été bien accueillis, visages de personnes âgées dépourvues des conditions minimales nécessaires pour mener une vie décente.[181] La vie consacrée montre ainsi, par le langage des œuvres, que la charité divine est fondement et stimulant de l'amour gratuit et diligent. Saint Vincent de Paul en était bien convaincu, lorsqu'il donnait aux Filles de la Charité ce programme de vie: « L'esprit de la Compagnie consiste à se donner à Dieu pour aimer Notre Seigneur et le servir en la personne des pauvres corporellement et spirituellement, en leurs maisons ou ailleurs, pour instruire les pauvres filles, les enfants, et généralement tous ceux que la divine Providence vous envoie ».[182]

Parmi les différents domaines où peut s'exercer la charité, celui qui manifeste au monde à un titre spécial l'amour « jusqu'au bout » est certainement, en notre temps, celui de l'annonce passionnée de Jésus Christ à ceux qui ne le connaissent pas encore, à ceux qui l'ont oublié et, de manière préférentielle, aux pauvres.

[181] Cf. IVe Conférence Générale de l'Épiscopat latino-américain, Document *Nouvelle évangélisation, promotion humaine et culture chrétienne,* Conclusion, n. 178, CELAM (1992).

[182] *Correspondance, Entretiens, Documents.* Conférence « Sur l'esprit de la Compagnie » (9 février 1653): éd. Coste IX, Paris (1923), p. 592.

Contribution spécifique de la vie consacrée à l'évangélisation

76. Il revient spécifiquement aux personnes consacrées de contribuer à l'évangélisation avant tout par le témoignage d'une vie totalement donnée à Dieu et à leurs frères, par l'imitation du Sauveur qui, par amour de l'homme, s'est fait esclave. Dans l'œuvre du salut, en effet, tout vient de la participation à l'*agapê* divine. Les personnes consacrées rendent visible, par leur consécration et leur total don de soi, la présence amoureuse et salvifique du Christ, le consacré du Père, envoyé en mission.[183] En se laissant saisir par lui (cf. *Ph* 3,12), elles se préparent à devenir, d'une certaine manière, un prolongement de son humanité.[184] La vie consacrée montre avec éloquence que plus on vit dans le Christ, mieux on peut le servir dans les autres, en se portant jusqu'aux avant-postes de la mission et en prenant les plus grands risques.[185]

La première évangélisation: annoncer le Christ aux nations

77. Quand on aime Dieu, le Père de tous, on ne peut qu'aimer ses semblables, en qui l'on re-

[183] Cf. Congrégation pour les Religieux et les Instituts séculiers, Instruction *Éléments essentiels de la Doctrine de l'Église sur la Vie consacrée* (31 mai 1983), nn. 23-24: *La Documentation catholique* 80 (1983), pp. 892-893.

[184] Cf. B. Élisabeth de la trinité, *O mon Dieu, Trinité que j'adore* : Œuvres complètes, Paris, 1991, pp. 199-200.

[185] Cf. Paul VI, Exhort. ap. *Evangelii nuntiandi* (8 décembre 1975), n. 69: *AAS* 68 (1976), p. 59.

connaît des frères et des sœurs. C'est pourquoi, quand on constate que beaucoup d'entre eux ne connaissent pas la pleine manifestation de l'amour de Dieu dans le Christ, on ne peut rester indifférent. C'est de là que, par obéissance au précepte du Christ, prend son essor l'élan missionnaire *ad gentes,* que tout chrétien conscient partage avec l'Église, missionnaire par nature. Cet élan est vécu surtout par les membres des Instituts de vie contemplative et de vie active.[186] Les personnes consacrées, en effet, ont la mission de rendre présent, même parmi les non-chrétiens,[187] le Christ chaste, pauvre, obéissant, orant et missionnaire.[188] Restant fermement fidèles à leur charisme, en vertu de leur très intime consécration à Dieu,[189] elles ne peuvent que se sentir spécialement engagées à collaborer à l'activité missionnaire de l'Église. L'ardente tension missionnaire qui caractérise et exalte la vie consacrée est attestée chez d'innombrables saints: on se rappelle le désir si souvent exprimé par Thérèse de Lisieux, « t'aimer et te faire aimer », le souhait ardent de saint François-Xavier que « beaucoup, réfléchissant aux comptes qu'ils devront rendre à notre Seigneur et à ce qu'ils font des talents reçus de lui, s'emploient, par divers moyens et exercices spirituels,

[186] Cf. *Proposition* 37, A.

[187] Cf. Conc. œcum. Vat. II, Const. dogm. *Lumen gentium,* n. 46; Paul VI, Exhort. ap. *Evangelii nuntiandi* (8 décembre 1975), n. 69: *AAS* 68 (1976), p. 59.

[188] Cf. Conc. œcum. Vat. II, Const. dogm. *Lumen gentium,* nn. 44; 46.

[189] Cf. Conc. œcum. Vat. II, Décret *Ad gentes,* nn. 18; 40.

à connaître la volonté de Dieu et à l'écouter au-dedans d'eux-mêmes. Qu'ils s'y conforment plutôt que de suivre leurs propres inclinations, et s'exclament: "Me voici, Seigneur, que voulez-vous faire de moi? Envoyez-moi où vous voulez" ».[190]

Présents en tout point de la terre

78. « L'amour du Christ nous presse » (2 *Co* 5,14): les membres de chaque Institut devraient pouvoir le répéter avec l'Apôtre, parce que la vie consacrée a pour mission de travailler en tout lieu de la terre pour affermir et étendre le Règne du Christ, en portant partout l'annonce de l'Évangile, même dans les régions les plus lointaines.[191] De fait, l'histoire missionnaire témoigne de la grande contribution donnée par eux à l'évangélisation des peuples: des anciennes familles monastiques aux fondations les plus récentes engagées de manière exclusive dans la mission *ad gentes,* des Instituts de vie active aux Instituts contemplatifs,[192] d'innombrables personnes se sont dépensées pour cette « activité primordiale de l'Église, une activité essentielle et jamais achevée »,[193] parce qu'elle s'adresse à la

[190] *Lettre à ses compagnons résidant à Rome* (Cochin, 15 janvier 1544): *Monumenta Historica Societatis Iesu* 67 (1944), pp. 166-167.

[191] Cf. CONC. ŒCUM. VAT. II, Const. dogm. *Lumen gentium,* n. 44.

[192] Cf. JEAN-PAUL II, Encycl. *Redemptoris missio* (7 décembre 1990), n. 69: *AAS* 83 (1991), pp. 317-318; *Catéchisme de l'Église catholique,* n. 927.

[193] *Ibid.,* n. 31: *l.c.,* p. 277.

multitude croissante de ceux qui ne connaissent pas le Christ.

Aujourd'hui encore, ce devoir continue à s'imposer avec urgence aux Instituts de vie consacrée et aux Sociétés de vie apostolique; pour l'annonce de l'Évangile du Christ, on attend d'eux le plus grand engagement possible. Les Instituts qui naissent ou qui travaillent dans les jeunes Églises sont invités à s'ouvrir à la mission parmi les non-chrétiens, à l'intérieur et à l'extérieur de leur patrie. Malgré les difficultés compréhensibles que peuvent traverser certains d'entre eux, il est bon de rappeler à tous que, si « la foi s'affermit quand on la donne »,[194] la mission affermit la vie consacrée, lui donne un nouvel enthousiasme et de nouvelles motivations, sollicite sa fidélité. De son côté, l'activité missionnaire offre un vaste champ où les différentes formes de vie consacrée ont leur place.

La mission *ad gentes* offre des occasions privilégiées d'exercer une action apostolique très intense aux femmes consacrées, aux religieux frères et aux membres des Instituts séculiers. Ces derniers, par leur présence dans les divers domaines propres à la vocation laïque, peuvent accomplir une œuvre précieuse d'évangélisation des milieux, des structures et même des lois qui règlent la vie en société. En outre, ils peuvent témoigner des valeurs évangéliques aux côtés de personnes qui

[194] *Ibid.,* n. 2: *l. c.,* p. 251.

ne connaissent pas encore Jésus, apportant ainsi une contribution spécifique à la mission.

Il faut le souligner, dans les pays où sont enracinées des religions non chrétiennes, la présence de la vie consacrée a une énorme importance, tant par les activités éducatives, caritatives et culturelles, que par le signe de la vie contemplative. Dans les nouvelles Églises, on doit donc encourager particulièrement la fondation de communautés qui se donnent à la contemplation, puisque « la vie contemplative relève de la présence plénière de l'Église ».[195] Il est ensuite nécessaire de promouvoir par des moyens adaptés une répartition équilibrée de la vie consacrée dans ses différentes formes pour susciter un nouvel élan évangélisateur, soit par l'envoi de missionnaires hommes ou femmes, soit par l'aide que les Instituts de vie consacrée doivent aux diocèses les plus pauvres.[196]

Annonce du Christ et inculturation

79. L'annonce du Christ « a, en permanence, la priorité dans la mission de l'Église »[197] et a pour but la conversion, c'est-à-dire l'adhésion pleine et sincère au Christ et à son Évangile.[198] Le

[195] Conc. œcum. Vat. II, Décret *Ad gentes,* n. 18; cf. Jean-Paul II, Encycl. *Redemptoris missio* (7 décembre 1990), n. 69: *AAS* 83 (1991), pp. 317-318.

[196] Cf. *Proposition* 38.

[197] Jean-Paul II, Encycl. *Redemptoris missio* (7 décembre 1990), n. 44: *AAS* 83 (1991), p. 290.

[198] Cf. *ibid.,* n. 46: *l.c.,* p. 292.

processus de l'inculturation et le dialogue interreligieux entrent aussi dans le cadre de l'activité missionnaire. Les personnes consacrées recevront de l'inculturation comme un appel à une collaboration féconde avec la grâce dans la prise de contact avec les diverses cultures. Cela suppose une sérieuse préparation personnelle, des dons confirmés de discernement, une adhésion fidèle aux critères indispensables d'orthodoxie doctrinale, d'authenticité et de communion ecclésiale.[199] Soutenues par le charisme de leurs fondateurs et fondatrices, de nombreuses personnes consacrées ont su rejoindre les différentes cultures dans l'attitude de Jésus qui « s'anéantit lui-même, prenant condition d'esclave » (*Ph* 2,7) et, par un effort de dialogue patient et audacieux, elles ont établi des contacts profitables avec les peuples les plus divers, annonçant à tous le chemin du salut. Aujourd'hui encore, combien d'entre elles savent chercher et trouver dans l'histoire des personnes et de peuples entiers des traces de la présence de Dieu, qui amène toute l'humanité à discerner les signes de sa volonté rédemptrice! Cette recherche se révèle profitable pour les personnes consacrées elles-mêmes: en effet, les valeurs découvertes dans les différentes civilisations peuvent les inciter à approfondir leur engagement dans la contemplation et la prière, à pratiquer davantage le partage communautaire et l'hospitalité, à cultiver avec

[199] Cf. *ibid.*, nn. 52-54: *AAS* 83 (1991), pp. 299-302.

plus d'empressement leur attention aux personnes et le respect de la nature.

Pour parvenir à une authentique inculturation, il faut avoir un comportement semblable à celui du Seigneur, qui s'est incarné et qui est venu au milieu de nous avec amour et humilité. En ce sens, la vie consacrée rend les personnes particulièrement aptes à faire face au labeur complexe de l'inculturation, parce qu'elle les habitue à se détacher des réalités matérielles et même de nombreux aspects de leur propre culture. En s'appliquant par de tels comportements à étudier et à comprendre les cultures, les personnes consacrées peuvent mieux discerner leurs valeurs authentiques et voir la façon de les accueillir et de les perfectionner à l'aide de leur charisme propre.[200] De toute manière, il faut se garder de l'oublier, dans bien des cultures antiques, l'expression religieuse est si profondément intégrée que la religion représente souvent la dimension transcendante de la culture elle-même. En ce cas, une véritable inculturation comporte nécessairement un dialogue interreligieux qui « ne s'oppose pas à la mission *ad gentes* » et qui « ne dispense pas de l'évangélisation ».[201]

[200] Cf. *Proposition* 40, A.

[201] JEAN-PAUL II, Encycl. *Redemptoris missio* (7 décembre 1990), n. 55: *AAS* 83 (1991), p. 302 ; cf. CONSEIL PONTIFICAL POUR LE DIALOGUE INTER-RELIGIEUX et CONGRÉGATION POUR L'ÉVANGÉLISATION DES PEUPLES, Instruction *Dialogue et annonce* (19 mai 1991), nn. 45-46: *AAS* 84 (1992), pp. 429-430.

80. De son côté, porteuse par elle-même de valeurs évangéliques, la vie consacrée peut, là où elle est vécue avec authenticité, contribuer de manière originale à relever les défis de l'inculturation. En effet, comme elle constitue un signe du primat de Dieu et du Royaume, elle se présente comme une provocation qui, dans le dialogue, peut ébranler la conscience des hommes. Si la vie consacrée garde la force prophétique qui lui est propre, elle devient, à l'intérieur d'une culture, un ferment évangélique capable de la purifier et de la faire évoluer. Voilà ce que montre l'histoire de nombreux saints et saintes qui, à des époques différentes, ont su se plonger dans leur temps sans être submergés, mais en montrant de nouveaux chemins à leur génération. Un style de vie évangélique est une source d'inspiration importante pour un nouveau modèle culturel. Que de fondateurs et de fondatrices, accueillant certaines exigences de leur temps, mais avec toutes les limites qu'ils leur reconnaissaient, leur ont donné une réponse qui est devenue une proposition culturelle novatrice!

En effet, les communautés des Instituts religieux et des Sociétés de vie apostolique peuvent offrir concrètement des propositions culturelles significatives, quand elles témoignent du mode évangélique de vivre l'accueil mutuel dans la diversité et d'exercer l'autorité, le partage de biens tant matériels que spirituels, la dimension internationale, la collaboration entre congrégations, l'écoute des hommes et des femmes de notre temps. La façon de penser et d'agir de celui qui suit le Christ de plus près crée, en effet, *une véritable culture de référence,* sert à mettre en lumière ce qui n'est pas humain, témoigne que Dieu seul donne force et accomplissement aux valeurs. À son tour, une authentique inculturation aidera les personnes consacrées à vivre le radicalisme évangélique, selon le charisme de leur Institut et le génie du peuple avec lequel elles entrent en contact. Ce rapport fécond suscite des styles de vie et des méthodes pastorales qui seront une richesse pour tout l'Institut, s'ils se révèlent conformes au charisme de fondation et à l'action unifiante de l'Esprit Saint. À ce processus, fait de discernement et d'audace, de dialogue et de provocation évangélique, la garantie d'être sur la bonne voie est offerte par le Saint-Siège, à qui il revient d'encourager l'évangélisation des cultures, ainsi que d'en authentifier les développements et d'en approuver les résultats en vue de l'inculturation: [202] la tâche est « difficile et délicate, car elle met en jeu la fidélité de l'Église à l'Évangile et à la Tradition apostolique dans une évolution constante des cultures ».[203]

[202] Cf. *Proposition* 40, B.

[203] JEAN-PAUL II, Exhort. ap. post-synodale *Ecclesia in Africa,* n. 62: *La Documentation catholique* 92 (1995), p. 832.

Nécessité de se laisser interpeller par la Parole et les signes des temps -

81. Pour répondre efficacement aux grands défis lancés par l'histoire contemporaine à la nouvelle évangélisation, il est avant tout nécessaire que la vie consacrée se laisse continuellement interpeller par la Parole révélée et par les signes des temps.[204] Le souvenir des grands évangélisateurs et des grandes évangélisatrices, qui furent d'abord de grands évangélisés, montre que, pour s'adresser au monde d'aujourd'hui, il faut des personnes données avec amour au Seigneur et à son Évangile. « Par leur vocation spécifique, les personnes consacrées sont appelées à faire naître l'unité entre l'auto-évangélisation et le témoignage, entre le renouveau intérieur et le renouveau apostolique, entre l'être et l'agir, faisant apparaître que le dynamisme vient toujours du premier élément du binôme ».[205]

La nouvelle évangélisation, comme celle de toujours, ne sera efficace que si elle sait proclamer sur les toits ce qui a d'abord été vécu dans l'intimité avec le Seigneur. Elle a besoin de solides personnalités, animées de la ferveur des saints. La nouvelle évangélisation exige des personnes consacrées *une pleine conscience du sens théologique des défis de notre temps*. Ces défis doivent être analysés attentivement et dans un

[204] Cf. PAUL VI, Exhort. ap. *Evangelii nuntiandi* (8 décembre 1975), n. 15: *AAS* 68 (1976), pp. 13-15.

[205] SYNODE DES ÉVÊQUES, IXe Assemblée générale ordinaire, *Rapport avant la discussion,* n. 22: *La Documentation catholique* 91 (1994), p. 951.

discernement commun, en vue du renouveau de la mission. Il faut avoir le courage d'annoncer le Seigneur Jésus et, en même temps, faire confiance à l'action de la Providence, qui agit dans le monde et qui « dispose tout pour le bien de l'Église, même les événements contraires ».[206]

Parmi les éléments importants qui permettent une insertion fructueuse des Instituts dans le processus de la nouvelle évangélisation, il y a la fidélité au charisme fondateur, la communion avec ceux qui, dans l'Église, sont engagés au service de la même cause, spécialement les Pasteurs, et la coopération de tous les hommes de bonne volonté. Cela exige un sérieux discernement des appels adressés par l'Esprit à chaque Institut, dans les régions où d'importants progrès ne sont pas prévisibles dans l'immédiat comme dans celles où s'annonce une renaissance réconfortante. En tout lieu et en toute situation, que les personnes consacrées annoncent le Seigneur Jésus avec ardeur, prêtes à répondre avec la sagesse de l'Évangile aux questions que leur posent aujourd'hui l'inquiétude du cœur humain et l'urgence de ses nécessités!

La prédilection pour les pauvres et la promotion de la justice

82. Au début de son ministère, dans la synagogue de Nazareth, Jésus proclame que l'Esprit

[206] JEAN XXIII, Discours à l'ouverture du Concile Vatican II (11 octobre 1962): *AAS* 54 (1962), p. 789.

l'a consacré pour porter aux pauvres un message de joie, pour annoncer aux prisonniers la délivrance, rendre la vue aux aveugles, libérer les opprimés et prêcher une année de grâce du Seigneur (cf. *Lc* 4,16-19). L'Église, qui fait sienne la mission du Seigneur, annonce l'Évangile à tout homme et à toute femme, car elle s'engage en vue de leur salut intégral. Mais, avec une attention spéciale, une véritable « option préférentielle », elle se tourne vers ceux qui se trouvent *dans une situation de plus grande faiblesse,* et donc de plus grand besoin. Les « pauvres », dans les multiples dimensions de la pauvreté, ce sont les opprimés, les marginaux, les personnes âgées, les malades, les petits, tous ceux qui sont considérés et traités comme les « derniers » dans la société.

L'option pour les pauvres se situe dans la logique même de l'amour vécu selon le Christ. Tous les disciples du Christ doivent donc la faire, mais ceux qui veulent suivre le Seigneur de plus près, en imitant son comportement, ne peuvent que se sentir concernés par elle de manière toute particulière. La sincérité de leur réponse à l'amour du Christ les conduit à vivre en pauvres et à embrasser la cause des pauvres. Cela comprend pour chaque Institut, selon son charisme spécifique, *l'adoption d'un style de vie,* tant personnel que communautaire, *humble et austère.* Fortes de ce témoignage vécu, les personnes consacrées pourront, de manière conforme à leur choix de vie et en restant libres à l'égard des idéologies politiques, dénoncer les injustices perpétrées contre bien des fils et des filles de Dieu et s'engager pour la promotion de la justice dans le champ social où elles travaillent.[207] De cette façon, même dans les situations actuelles, on verra se renouveler, par le témoignage d'innombrables personnes consacrées, le don de soi des fondateurs et des fondatrices qui offrirent leur vie pour servir le Seigneur présent dans les pauvres. En effet, « ici-bas, le Christ est pauvre dans la personne de ses pauvres [...]. Dieu, il est riche, homme, il est pauvre. De fait, le même homme déjà riche est monté au ciel et il est assis à la droite du Père. Mais, en même temps, il reste ici-bas le pauvre qui a faim, qui a soif, qui est nu ».[208]

L'Évangile devient opérant par la charité, qui est la gloire de l'Église et le signe de sa fidélité au Seigneur. C'est ce que montre toute l'histoire de la vie consacrée, que l'on peut considérer comme une exégèse vivante de la parole de Jésus: « Dans la mesure où vous l'avez fait à l'un de ces petits qui sont mes frères, c'est à moi que vous l'avez fait » (*Mt* 25,40). De nombreux Instituts, surtout à l'époque moderne, sont nés précisément pour répondre à tel ou tel besoin des pauvres. Et même lorsque cette finalité n'a pas été déterminante, l'attention et l'intérêt portés aux plus démunis et exprimés par la prière, l'accueil et l'hospitalité, ont toujours été naturellement présents dans les différentes formes de vie

[207] Cf. *Proposition* 18.

[208] S. AUGUSTIN, *Sermon 123,* 3-4: *PL* 38, 685-686.

consacrée, y compris la vie contemplative. Comment pourrait-il en être autrement, dès lors que le Christ contemplé dans la prière est Celui-là même qui vit et souffre dans les pauvres? Dans ce sens, l'histoire de la vie consacrée est riche d'exemples merveilleux et parfois géniaux. Saint Paulin de Nole, qui avait distribué ses biens aux pauvres pour se consacrer pleinement à Dieu, fit construire les cellules de son monastère au-dessus d'un hospice destiné précisément aux indigents. Il se réjouissait à la pensée de cet « échange de dons » singulier: les pauvres, assistés par lui, affermissaient par leur prière les « fondations » mêmes de sa maison, tout entière vouée à la louange de Dieu.[209] Saint Vincent de Paul, pour sa part, aimait dire que, lorsqu'on est contraint d'interrompre la prière pour assister un pauvre dans le besoin, en réalité, on ne l'interrompt pas, parce que c'est « quitter Dieu pour Dieu ».[210]

Pour la vie consacrée, le service des pauvres est un acte d'évangélisation et, en même temps, il scelle la fidélité à l'Évangile et invite à la conversion permanente, puisque — comme le dit saint Grégoire le Grand — « la charité s'élance merveilleusement vers les hauteurs quand elle se laisse miséricordieusement attirer en bas vers les misères du prochain; et plus elle descend avec

[209] Cf. *Chant* XXI, vv. 386-394: *PL* 61, 587.

[210] *Correspondance, Entretiens, Documents.* Conférence « Sur les Règles » (30 mai 1647): éd. Coste IX, Paris (1923), p. 319.

amour vers les faiblesses, plus elle reprend avec vigueur sa course vers les sommets ».[211]

Le soin des malades

83. En suivant une glorieuse tradition, un grand nombre de personnes consacrées, surtout des femmes, exercent leur apostolat dans les milieux sanitaires, selon le charisme de leur Institut. Au cours des siècles, nombreuses ont été les personnes consacrées qui *ont fait le sacrifice de leur vie* en se mettant au service des victimes de maladies contagieuses, et qui ont ainsi montré que le don de soi jusqu'à l'héroïsme fait partie du caractère prophétique de la vie consacrée.

L'Église regarde avec admiration et gratitude les très nombreuses personnes consacrées qui, portant assistance aux malades et à ceux qui souffrent, contribuent à sa mission de manière significative. Elles prolongent le ministère de miséricorde du Christ, qui « a passé en faisant le bien et en guérissant » (*Ac* 10,38). Sur les traces du Samaritain divin, médecin des âmes et des corps,[212] et à l'exemple de leurs fondateurs et de leurs fondatrices, que les personnes consacrées, qui y sont destinées par le charisme de leur Institut, persévèrent dans leur témoignage d'amour à l'égard des malades, en se donnant à eux avec une profonde compréhension et en prenant part à leur souffrance! Qu'elles privilégient

[211] *Règle pastorale* 2,5: *SC* 381, p. 201.

[212] Cf. Jean-Paul II, Lettre ap. *Salvifici doloris* (11 février 1984), nn. 28-30: *AAS* 76 (1984), pp. 242-248.

dans leurs choix les malades les plus pauvres et les plus délaissés, comme les personnes âgées, les handicapés, les marginaux, les malades en fin de vie, les victimes de la drogue et des nouvelles maladies contagieuses! Qu'elles aident les malades à offrir leur souffrance en communion avec le Christ crucifié et glorifié pour le salut de tous [213] et qu'elles restent conscientes d'être, par la prière et par le témoignage de la parole et du comportement, *des sujets actifs de la pastorale* grâce au charisme particulier de la croix! [214]

En outre, l'Église rappelle aux personnes consacrées qu'il entre dans leur mission d'*évangéliser les milieux de la santé* où elles travaillent, en cherchant à éclairer, par la diffusion des valeurs évangéliques, la façon de vivre, de souffrir et de mourir des hommes de notre temps. C'est leur devoir de s'employer à l'humanisation de la médecine et à l'approfondissement de la bioéthique, au service de l'Évangile de la vie. Qu'elles cherchent donc à promouvoir d'abord le respect de la personne et de la vie humaine, de sa conception à son terme naturel, en pleine conformité avec l'enseignement moral de l'Église,[215] par la fondation de centres de formation [216] et par la collaboration fraternelle avec les organismes ecclésiaux de la pastorale sanitaire!

[213] Cf. *ibid.,* n. 18: *l. c.,* pp. 221-224; JEAN-PAUL II, Exhort. ap. post-synodale *Christifideles laici* (30 décembre 1988), nn. 52-53: *AAS* 81 (1989), pp. 496-500.

[214] Cf. JEAN-PAUL II, Exhort. ap. post-synodale *Pastores dabo vobis* (25 mars 1992), n. 77: *AAS* 84 (1992), pp. 794-795.

[215] Cf. JEAN-PAUL II, Encycl. *Evangelium vitæ* (25 mars 1995), nn. 78-101: *AAS* 87 (1995), pp. 490-518.

[216] Cf. *Proposition* 43.

II. UN TÉMOIGNAGE PROPHÉTIQUE FACE AUX GRANDS DÉFIS

Le prophétisme de la vie consacrée

84. Le caractère prophétique de la vie consacrée a été fortement mis en relief par les Pères synodaux. Il se présente comme *une forme spéciale de participation à la fonction prophétique du Christ,* communiquée par l'Esprit à tout le Peuple de Dieu. Ce prophétisme est inhérent à la vie consacrée comme telle, du fait qu'il engage radicalement dans la *sequela Christi* et il appelle donc à s'investir dans la mission qui la caractérise. La fonction de signe, que Vatican II reconnaît à la vie consacrée,[217] s'exprime par le témoignage prophétique du primat de Dieu et des valeurs de l'Évangile dans la vie chrétienne. En vertu de ce primat, rien ne peut être préféré à l'amour personnel pour le Christ et pour les pauvres en qui il vit.[218]

La tradition patristique a reconnu dans la personne d'Élie, prophète audacieux et ami de Dieu une figure de la vie religieuse monastique.[219] Élie vivait en présence de Dieu et contemplait son passage dans le silence, il intercédait pour le peuple et proclamait la volonté divine avec courage, il luttait pour les droits de Dieu et se dressait

[217] Cf. Const. dogm. *Lumen gentium,* n. 44.

[218] Cf. JEAN-PAUL II, Homélie lors de la concélébration solennelle en conclusion de la IXe Assemblée ordinaire du Synode des Évêques (29 octobre 1994), n. 3: *AAS* 87 (1995), p. 580.

[219] Cf. S. ATHANASE, *Vie de saint Antoine,* 7: *PG* 26, 854.

pour défendre les pauvres contre les puissants du monde (cf. *1 R* 18-19). Dans l'histoire de l'Église, à côté d'autres chrétiens, il y a toujours eu des hommes et des femmes consacrés à Dieu qui, par un don particulier de l'Esprit, ont exercé un authentique ministère prophétique, parlant au nom de Dieu à tous et même aux Pasteurs de l'Église. *La véritable prophétie naît de Dieu,* de l'amitié avec lui, de l'écoute attentive de sa Parole dans les diverses étapes de l'histoire. Le prophète sent brûler dans son cœur la passion pour la sainteté de Dieu et, après avoir accueilli sa parole dans le dialogue de la prière, il la proclame par sa vie, ses lèvres et ses gestes, se faisant le héraut de Dieu contre le mal et le péché. Le témoignage prophétique exige une recherche permanente et passionnée de la volonté de Dieu, une communion ecclésiale indispensable et généreuse, l'exercice du discernement spirituel, l'amour de la vérité. Il s'exprime aussi par la dénonciation de ce qui est contraire à la volonté divine et par l'exploration de voies nouvelles pour mettre en pratique l'Évangile dans l'histoire, en vue du Royaume de Dieu.[220]

Son importance pour le monde contemporain

85. Notre monde, dans lequel les traces de Dieu semblent souvent perdues de vue, éprouve l'urgent besoin d'un témoignage prophétique fort

[220] Cf. *Proposition* 39, A.

de la part des personnes consacrées. Ce témoignage portera d'abord *sur l'affirmation du primat de Dieu et des biens à venir,* telle qu'elle se révèle dans la *sequela Christi* et dans l'imitation du Christ chaste, pauvre et obéissant, totalement consacré à la gloire de son Père et à l'amour de ses frères et de ses sœurs. La vie fraternelle elle-même est *une prophétie en acte* dans une société qui, parfois à son insu, aspire profondément à une fraternité sans frontières. La fidélité à leur charisme amène les personnes consacrées à offrir partout leur témoignage avec la franchise du prophète qui ne craint pas d'aller jusqu'à risquer sa vie.

La *cohérence entre l'annonce et la vie* confère une force de persuasion particulière à la prophétie. Les personnes consacrées seront fidèles à leur mission dans l'Église et dans le monde, si elles sont capables de s'examiner elles-mêmes continuellement à la lumière de la Parole de Dieu.[221] Ainsi, elles pourront communiquer aux autres fidèles la richesse des charismes reçus, tout en se laissant à leur tour interpeller par les provocations prophétiques venues des autres composantes ecclésiales. Dans cet échange des dons, authentifié par *le plein accord avec le Magistère et la discipline de l'Église,* se manifestera avec éclat l'action de l'Esprit qui « unifie [l'Église] dans la communion et le service, la pourvoit de dons divers, hié-

[221] Cf. *Propositions* 15, A et 39, C.

rarchiques et charismatiques, la dirige grâce à ces dons ».[222]

Fidélité jusqu'au martyre

86. En ce siècle, comme à d'autres époques de l'histoire, des hommes et des femmes consacrés ont rendu témoignage au Christ Seigneur *par le don de leur vie*. Ils sont des milliers, ceux qui, contraints à se réfugier dans les catacombes à cause de la persécution de régimes totalitaires ou de groupes violents, entravés dans leur activité missionnaire, dans l'action en faveur des pauvres, dans l'assistance aux malades et aux marginaux, ont vécu et vivent leur consécration au prix de souffrances prolongées et héroïques, et souvent en versant leur propre sang, étant ainsi pleinement configurés au Seigneur crucifié. L'Église a déjà reconnu officiellement la sainteté de certains d'entre eux en les honorant comme des martyrs du Christ. Ils nous éclairent par leur exemple, ils intercèdent pour notre fidélité, ils nous attendent dans la gloire.

Vif est le désir que la mémoire de tant de témoins de la foi demeure dans la conscience de l'Église comme une invitation à les célébrer et à les imiter. Que les Instituts de vie consacrée et les Sociétés de vie apostolique contribuent à cette œuvre *en recueillant les noms et les témoignages* de

[222] CONC. ŒCUM. VAT. II, Const. dogm. *Lumen gentium,* n. 4; cf. Décret sur le ministère et la vie des prêtres *Presbyterorum ordinis,* n. 2.

toutes les personnes consacrées qui peuvent être inscrites au Martyrologe du vingtième siècle![223]

Les grands défis de la vie consacrée

87. La mission prophétique de la vie consacrée répond à *trois défis principaux* adressés à l'Église elle-même: ce sont des défis de toujours qui, sous une forme nouvelle et peut-être plus radicale, sont lancés par la société contemporaine, au moins dans certaines parties du monde. Ils concernent directement les conseils évangéliques de pauvreté, de chasteté et d'obéissance, et incitent l'Église, en particulier les personnes consacrées, à faire apparaître *leur profonde signification anthropologique* et à en témoigner. Le choix de ces conseils, en effet, loin de constituer un appauvrissement de valeurs authentiquement humaines, se présente plutôt comme leur transfiguration. Les conseils évangéliques ne doivent pas être considérés comme une négation des valeurs inhérentes à la sexualité, au désir légitime de posséder et de décider de sa vie de manière indépendante. Ces inclinations, dans la mesure où elles sont fondées dans la nature, sont bonnes en elles-mêmes. Toutefois, la créature humaine, affaiblie par le péché originel, est exposée au risque de les mettre en œuvre sous le mode de la transgression. La profession de chasteté, de pauvreté

[223] Cf. *Proposition* 53; JEAN-PAUL II, Lettre ap. *Tertio millennio adveniente* (10 novembre 1994), n. 37: *AAS* 87 (1995), pp. 29-30.

et d'obéissance devient un avertissement afin que ne soient pas sous-estimées les blessures provoquées par le péché originel, et, tout en affirmant la valeur des biens créés, *elle les relativise* en montrant que Dieu est le bien absolu. Ainsi, tandis qu'ils cherchent à acquérir la sainteté pour eux-mêmes, ceux qui suivent les conseils évangéliques proposent pour ainsi dire, une « thérapie spirituelle » à l'humanité, puisqu'ils refusent d'idolâtrer la création et rendent visible en quelque manière le Dieu vivant. La vie consacrée, surtout pendant les périodes difficiles, est une bénédiction pour la vie humaine et pour la vie de l'Église elle-même.

Le défi de la chasteté consacrée

88. La *première provocation* est celle d'une *culture hédoniste* qui délie la sexualité de toute norme morale objective, en la réduisant souvent à un jeu et à un bien de consommation, et en cédant à une sorte d'idolâtrie de l'instinct avec la complicité des moyens de communication sociale. Les conséquences de cet état de fait sont sous les yeux de tous: des transgressions diverses, qui s'accompagnent d'innombrables souffrances psychiques et morales pour les individus et pour les familles. La *réponse* de la vie consacrée réside d'abord dans la *pratique joyeuse de la chasteté parfaite,* comme témoignage de la puissance de l'amour de Dieu dans la fragilité de la condition humaine. La personne consacrée atteste que ce

que la majorité tient pour impossible devient, avec la grâce du Seigneur Jésus, possible et authentiquement libérant. Oui, dans le Christ il est possible d'aimer Dieu de tout son cœur, en le plaçant au-dessus de tout autre amour, et d'aimer ainsi toute créature avec la liberté de Dieu! Voilà l'un des témoignages qui sont aujourd'hui plus nécessaires que jamais, précisément parce qu'il est si peu compris par le monde. Il est offert à toute personne — aux jeunes, aux fiancés, aux époux, aux familles chrétiennes — pour montrer que *la force de l'amour de Dieu peut opérer de grandes choses* à l'intérieur même des vicissitudes de l'amour humain. C'est un témoignage qui répond aussi à un besoin croissant de transparence dans les rapports humains.

Il est nécessaire que la vie consacrée présente au monde d'aujourd'hui des exemples de chasteté vécue par des hommes et des femmes qui font preuve d'équilibre, de maîtrise d'eux-mêmes, d'initiative, de maturité psychologique et affective.[224] Dans ce témoignage, l'amour humain trouve un point d'appui solide, que la personne consacrée retire de la contemplation de l'amour trinitaire, qui nous est révélé par le Christ. Parce qu'elle est plongée dans ce mystère, elle se sent capable d'un amour radical et universel, qui lui donne la force de la maîtrise de soi et de la discipline nécessaires pour ne pas tomber dans l'esclavage des sens et des instincts. La chasteté consacrée appa-

[224] Cf. Conc. œcum. Vat. II, Décret *Perfectæ caritatis,* n. 12.

raît ainsi comme une expérience de joie et de liberté. Éclairée par la foi au Seigneur ressuscité et par l'attente des cieux nouveaux et de la terre nouvelle (cf. *Ap* 21,1), elle constitue aussi un stimulant précieux pour l'éducation à la chasteté, nécessaire dans d'autres états de vie.

Le défi de la pauvreté

89. *Une autre provocation* actuelle provient d'*un matérialisme avide de possession,* indifférent aux besoins et aux souffrances des plus faibles et même dépourvu de toute considération pour l'équilibre des ressources naturelles. La *réponse* de la vie consacrée se trouve dans *la pauvreté évangélique,* vécue sous différentes formes et souvent accompagnée d'un engagement actif dans la promotion de la solidarité et de la charité.

Combien d'Instituts se consacrent à l'éducation, à l'instruction et à la formation professionnelle, en rendant des jeunes et des moins jeunes capables de devenir les acteurs de leur avenir! Combien de personnes consacrées se dépensent sans mesurer leurs forces pour les plus humbles de la terre! Combien d'entre elles s'emploient à former de futurs éducateurs et de futurs responsables dans la vie sociale, pour qu'ils s'efforcent d'éliminer les structures d'oppression et de promouvoir des programmes de solidarité en faveur des pauvres! Elles combattent pour vaincre la faim et ses causes, elles animent les activités bénévoles et les organisations humanitaires, elles sensibilisent les organismes publics et privés pour favoriser une distribution équitable des aides internationales. Les nations doivent vraiment beaucoup à ces hommes et à ces femmes, acteurs entreprenants de la charité, qui, par leur générosité inlassable, ont contribué et contribuent encore notablement à l'humanisation du monde.

La pauvreté évangélique au service des pauvres

90. En réalité, avant même d'être un service des pauvres, *la pauvreté évangélique est une valeur en soi,* car elle évoque la première des Béatitudes par l'imitation du Christ pauvre.[225] En effet, son sens primitif est de rendre témoignage à Dieu qui est la véritable richesse du cœur humain. C'est précisément pourquoi elle conteste avec force, l'idolâtrie de Mammon, en se présentant comme un appel prophétique face à une société qui, dans de nombreuses parties du monde riche, risque de perdre le sens de la mesure et la valeur même des choses. Ainsi, aujourd'hui plus qu'à d'autres époques, la pauvreté évangélique suscite aussi l'intérêt de ceux qui, conscients des limites des ressources de la planète, réclament le respect et la sauvegarde de la création en réduisant la consommation, en pratiquant la sobriété et en s'imposant le devoir de mettre un frein à leurs désirs.

Il est donc demandé aux personnes consacrées de donner un témoignage évangélique re-

[225] Cf. *Proposition* 18, A.

nouvelé et vigoureux d'abnégation et de sobriété, par un style de vie fraternel caractérisé par la simplicité et l'hospitalité, ne serait-ce que comme exemple pour ceux qui restent indifférents aux besoins de leur prochain. Ce témoignage s'accompagnera naturellement de *l'amour préférentiel pour les pauvres* et il se manifestera tout spécialement par le partage des conditions de vie des plus déshérités. Bien des communautés vivent et travaillent au milieu des pauvres et des marginaux, elles adoptent leurs conditions de vie et partagent leurs souffrances, leurs problèmes et leurs dangers.

De grandes pages dans l'histoire de la solidarité évangélique et du dévouement héroïque ont été écrites par des personnes consacrées, en ces années de changements profonds et de grandes injustices, d'espoirs et de déceptions, de conquêtes importantes et d'amers échecs. Non moins significatives sont les pages qu'ont écrites et qu'écrivent encore d'innombrables autres personnes consacrées, qui vivent en plénitude leur vie « cachée avec le Christ en Dieu » (*Col* 3,3) pour le salut du monde, à l'enseigne de la gratuité, de l'engagement de toute leur vie dans des causes peu reconnues et moins encore appréciées. Sous ces formes diverses et complémentaires, la vie consacrée participe à la pauvreté extrême vécue par le Seigneur, et elle remplit son rôle spécifique dans le mystère salvifique de l'Incarnation et de la mort rédemptrice du Christ.[226]

[226] Cf. CONC. ŒCUM. VAT. II, Décret *Perfectæ caritatis,* n. 13.

91. *La troisième provocation* est celle qui provient des *conceptions de la liberté* qui soustraient cette prérogative humaine essentielle à son rapport constitutif avec la vérité et avec la norme morale.[227] En réalité, la culture de la liberté est une valeur authentique, étroitement liée au respect de la personne humaine. Mais qui ne voit les graves injustices et même les terribles violences qui résultent d'un usage dévié de la liberté dans la vie des personnes et des peuples?

L'obéissance qui caractérise la vie consacrée est *une réponse* efficace à cette situation. Elle présente comme modèle, d'une manière particulièrement forte, l'obéissance du Christ à son Père et, à partir de son mystère, elle témoigne de ce qu'*il n'y a pas de contradiction entre l'obéissance et la liberté*. En effet, l'attitude du Fils révèle que le mystère de la liberté humaine est une voie d'obéissance à la volonté du Père et que le mystère de l'obéissance est une voie de conquête progressive de la vraie liberté. La personne consacrée désire exprimer ce mystère précisément par ce vœu. Elle entend montrer par là sa conscience d'un rapport de filiation, en vertu duquel elle accueille la volonté paternelle comme sa nourriture quotidienne (cf. *Jn* 4,34), son roc, sa joie, son bouclier et son refuge (cf. *Ps* 18/17,3). Elle fait apparaître ainsi qu'elle grandit dans la pleine vérité de son être,

[227] Cf. JEAN-PAUL II, Encycl. *Veritatis splendor* (6 août 1993), nn. 31-35: *AAS* 85 (1993), pp. 1158-1162.

demeurant attachée à la source de son existence et donnant donc ce message très consolant: « Grande est la paix de qui aime ta loi, jamais il ne trébuche » (*Ps* 119/118,165).

Faire ensemble la volonté du Père

92. Ce témoignage des personnes consacrées revêt aussi une signification particulière, *à cause de la dimension communautaire* qui caractérise la vie religieuse. La vie fraternelle est le lieu privilégié pour discerner et pour accueillir la volonté de Dieu, et pour avancer ensemble en union d'esprit et de cœur. L'obéissance, vivifiée par la charité, unit les membres d'un Institut dans le même témoignage et dans la même mission, bien que dans la diversité des dons et dans le respect de chaque individualité. Par la vie fraternelle animée par l'Esprit, chacun entretient avec les autres un dialogue précieux pour découvrir la volonté du Père, et tous reconnaissent en celui qui est responsable l'expression de la paternité de Dieu ainsi que l'exercice de l'autorité reçue de Dieu, mise au service du discernement et de la communion.[228]

Dans l'Église et dans la société, la vie de communauté est encore particulièrement le signe du lien que constitue la volonté commune d'obéir au même appel, au-delà de toutes les diversités

[228] Cf. *Proposition* 19, A; CONC. ŒCUM. VAT. II, Décret *Perfectæ caritatis,* n. 14.

de race ou d'origine, de langue ou de culture. À l'encontre de l'esprit de discorde et de division, autorité et obéissance donnent un signe lumineux de la paternité unique qui vient de Dieu, de la fraternité née de l'Esprit, de la liberté intérieure des personnes qui s'en remettent à Dieu malgré les limites humaines de ceux qui le représentent. Par cette obéissance, que certains admettent comme une règle de vie, on fait l'expérience de la béatitude promise par Jésus à « ceux qui écoutent la Parole de Dieu et l'observent » (*Lc* 11,28) et on l'annonce pour le bien de tous. En outre, celui qui obéit est assuré d'être vraiment en mission, à la suite du Seigneur et non porté par ses propres désirs ou ses propres aspirations. Il est ainsi possible de se savoir conduit par l'Esprit du Seigneur et soutenu par sa main ferme, même au milieu de grandes difficultés (cf. *Ac* 20,22-24).

Un ferme engagement dans la vie spirituelle

93. L'une des préoccupations maintes fois manifestée au Synode a été celle d'une vie consacrée nourrie *aux sources d'une spiritualité solide et profonde*. Il s'agit, en effet, d'une exigence prioritaire, inscrite dans l'essence même de la vie consacrée, du fait que, comme tout autre baptisé, et même pour des raisons encore plus contraignantes, celui qui professe les conseils évangéliques est tenu de tendre de toutes ses

forces vers la perfection dans la charité.[229] C'est un devoir que rappellent fortement les exemples innombrables des saints et des saintes fondateurs et de nombreuses personnes consacrées qui ont rendu témoignage de leur fidélité au Christ jusqu'au martyre.

Tendre vers la sainteté: voilà en bref le programme de toute vie consacrée, également dans la perspective de son renouveau au seuil du troisième millénaire. Le point de départ de ce programme se trouve dans le fait de tout quitter pour le Christ (cf. *Mt* 4,18-22; 19,21.27; *Lc* 5,11), Le préférant à tout, afin de pouvoir participer pleinement au Mystère pascal.

Saint Paul l'avait bien compris, lui qui s'écriait: « Je considère tout comme désavantageux à cause de la supériorité de la connaissance du Christ Jésus [...]. Le connaître, Lui, avec la puissance de sa résurrection » (*Ph* 3,8.10). C'est le chemin que les Apôtres ont montré dès le commencement, comme l'exprime la tradition chrétienne en Orient et en Occident: « Ceux qui suivent Jésus aujourd'hui, abandonnant tout pour lui, rappellent les Apôtres qui, répondant à son invitation, renoncèrent à tout. Traditionnellement, on parle donc de la vie religieuse comme d'une *apostolica vivendi forma* ».[230] La même tradition a aussi mis en évidence, dans la vie consacrée, son aspect d'alliance unique avec Dieu, et même d'al-

[229] Cf. *Proposition* 15.

[230] JEAN-PAUL II, Discours à l'audience générale (8 février 1995), n. 2: *La Documentation catholique* 92 (1995), p. 255.

liance sponsale avec le Christ, que saint Paul enseigna par son exemple (cf. *1 Co* 7,7) et sa prédication, proposés sous la conduite de l'Esprit (cf. *1 Co* 7,40).

Nous pouvons dire que la vie spirituelle, comprise comme la vie dans le Christ et la vie selon l'Esprit, se définit comme un itinéraire de fidélité croissante, où la personne consacrée est conduite par l'Esprit et configurée par lui au Christ, en pleine communion d'amour et de service dans l'Église.

Tous ces éléments, bien intégrés dans les différentes formes de vie consacrée, constituent *une spiritualité particulière,* c'est-à-dire un projet concret de relation avec Dieu et avec le milieu, caractérisé par des accents spirituels et des choix d'action déterminés, qui font ressortir et représentent l'un ou l'autre aspect de l'unique mystère du Christ. Quand l'Église reconnaît une forme de vie consacrée ou un Institut, elle confirme que dans le charisme spirituel et apostolique se trouvent toutes les conditions objectives pour atteindre la perfection évangélique personnelle et communautaire.

La vie spirituelle doit donc être en première place dans le projet des familles de vie consacrée, en sorte que tous les Instituts et toutes les communautés se présentent comme des écoles de spiritualité évangélique authentique. De cette option prioritaire, développée dans l'engagement personnel et communautaire, dépendent la fécondité apostolique, la générosité dans l'amour pour les pauvres, ainsi que la capacité de faire naître des vocations dans les nouvelles générations. C'est précisément *la qualité spirituelle de la vie consacrée* qui peut ébranler les personnes de notre temps, elles aussi assoiffées de valeurs absolues, et devenir un témoignage attirant.

À l'écoute de la Parole de Dieu

94. La Parole de Dieu est la première source de toute spiritualité chrétienne. Elle nourrit une relation personnelle avec le Dieu vivant et avec sa volonté salvifique et sanctifiante. C'est pourquoi la *lectio divina,* dès la naissance des Instituts de vie consacrée, et spécialement dans le monachisme, a été l'objet de la plus haute estime. Grâce à elle, la Parole de Dieu entre dans la vie, sur laquelle elle projette la lumière de la sagesse qui est le don de l'Esprit. Bien que toute l'Écriture Sainte soit « utile pour enseigner » (*2 Tm* 3,16) et « source pure et intarissable de vie spirituelle »,[231] les écrits du Nouveau Testament méritent une vénération particulière, surtout les Évangiles, qui sont « le cœur de toutes les Écritures ».[232] Il sera donc bon pour les personnes consacrées de méditer assidûment les textes évangéliques et les autres écrits néotestamentaires, qui traduisent les paroles et les exemples du Christ et de la Vierge

[231] Conc. œcum. Vat. II, Const. dogm. sur la Révélation divine *Dei Verbum,* n. 21; cf. Décret *Perfectæ caritatis,* n. 6.

[232] *Catéchisme de l'Église catholique,* n. 125; cf. Conc. œcum. Vat. II, Const. dogm. *Dei Verbum,* n. 18.

Marie ainsi que la *apostolica vivendi forma*. Les fondateurs et les fondatrices s'y sont constamment référés dans la réponse à leur vocation et dans le discernement du charisme et de la mission de leur Institut.

La méditation *communautaire* de la Bible a une grande valeur. Pratiquée suivant les possibilités et les circonstances de la vie de communauté, elle invite à partager avec joie les richesses puisées dans la Parole de Dieu, grâce auxquelles des frères et des sœurs progressent ensemble et s'aident à avancer dans la vie spirituelle. Il convient même que cette pratique soit proposée également aux autres membres du Peuple de Dieu, prêtres et laïcs, en promouvant d'une manière adaptée à leurs charismes des écoles de prière, de spiritualité et de lecture priante de l'Écriture dans laquelle Dieu « s'adresse aux hommes comme à des amis (cf. *Ex* 33,11; *Jn* 15,14-15) et est en relation avec eux (cf. *Ba* 3,38), pour les inviter à la vie en communion avec lui et les recevoir en cette communion ».[233]

La méditation de la Parole de Dieu et des mystères du Christ en particulier, comme l'enseigne la tradition spirituelle, est à l'origine de l'intensité de la contemplation et de l'ardeur dans l'action apostolique. Dans la vie religieuse contemplative comme dans la vie apostolique, ce sont toujours des hommes et des femmes de prière qui ont réalisé de grandes œuvres, en étant

[233] Conc. œcum. Vat. II, Const. dogm. *Dei Verbum*, n. 2.

des interprètes authentiques de la volonté de Dieu et en la mettant en pratique. De la fréquentation de la Parole de Dieu, ils ont reçu la lumière pour le discernement individuel et communautaire qui les a aidés à chercher les voies du Seigneur dans les signes des temps. Ils ont ainsi acquis *une sorte d'instinct surnaturel* qui leur a permis de ne pas se conformer à la mentalité du monde, mais de renouveler leur esprit, afin de pouvoir « discerner quelle est la volonté de Dieu, ce qui est bon, ce qui lui plaît, ce qui est parfait » (*Rm* 12,2).

En communion avec le Christ

95. Pour entretenir réellement la communion avec le Seigneur, *la sainte liturgie* est sans aucun doute un moyen fondamental, spécialement la célébration de l'Eucharistie et la liturgie des heures.

Avant tout, *l'Eucharistie* qui « contient l'ensemble des biens spirituels de l'Église, à savoir le Christ lui-même, notre Pâque, le pain vivant, qui, par sa chair, vivifiée et vivifiante par l'Esprit Saint, procure la vie aux hommes ».[234] Elle est le cœur de la vie ecclésiale, elle l'est aussi pour la vie consacrée. Dans la profession des conseils évangéliques, comment la personne appelée à choisir le Christ comme celui qui seul donne un sens à son existence, ne pourrait-elle ne pas désirer instaurer avec Lui une communion toujours

[234] Conc. œcum. Vat. II, Décret *Presbyterorum ordinis,* n. 5.

plus profonde par la participation quotidienne au Sacrement qui Le rend présent, au Sacrifice qui rend présent son don d'amour au Golgotha, au repas qui nourrit et soutient le Peuple de Dieu en pèlerinage? De par sa nature, l'Eucharistie est au centre de la vie consacrée, personnelle et communautaire. Elle est le viatique quotidien et la source de la spiritualité des personnes et des Instituts. En elle, tout consacré est appelé à vivre le Mystère pascal du Christ, s'unissant à Lui dans l'offrande de sa vie au Père par l'Esprit. L'adoration assidue et prolongée du Christ présent dans l'Eucharistie permet en quelque manière de revivre l'expérience de Pierre à la Transfiguration: « Il est heureux que nous soyons ici ». Et, dans la célébration du mystère du Corps et du Sang du Seigneur, s'affermissent et progressent l'unité et la charité de ceux qui ont consacré à Dieu leur existence.

Avec l'Eucharistie, et en relation étroite avec elle, *la liturgie des heures,* célébrée en communauté ou personnellement selon la nature de chaque Institut, en communion avec la prière de l'Église, exprime la vocation à la louange et à l'intercession qui est propre aux personnes consacrées.

En profonde harmonie avec l'Eucharistie, il y a aussi l'engagement à la conversion continuelle et à une purification nécessaire, que les personnes consacrées accomplissent dans *le sacrement de la Réconciliation*. Par une rencontre fréquente avec la miséricorde de Dieu, elles purifient et renouvellent leur cœur et, grâce à l'humble prise de conscience des péchés, rendent transparent leur rapport avec Dieu; sur le chemin parcouru en commun avec les frères et sœurs, l'expérience heureuse du pardon sacramentel rend le cœur docile et incite à s'engager dans une fidélité grandissante.

Pour progresser sur la voie évangélique, en particulier dans la période de formation ou à d'autres moments de la vie, on trouve un soutien important dans le recours confiant et humble à *la direction spirituelle,* grâce à laquelle la personne est aidée à répondre généreusement aux motions de l'Esprit et à s'orienter avec détermination vers la sainteté.

Enfin, j'exhorte toutes les personnes consacrées, suivant leurs traditions propres, à renouveler quotidiennement leur union spirituelle avec la Vierge Marie, en reprenant avec elle l'itinéraire des mystères de son Fils, spécialement dans la récitation du *saint Rosaire*.

III. QUELQUES ARÉOPAGES DE LA MISSION

La présence dans le monde de l'éducation

96. L'Église a toujours eu la conviction que *l'éducation est un élément essentiel de sa mission*. Son maître intérieur est l'Esprit Saint, qui pénètre les profondeurs les plus inaccessibles du cœur de tout homme et qui connaît le mouvement secret de l'histoire. Toute l'Église est ani-

mée par l'Esprit et accomplit avec Lui sa tâche éducatrice. Dans l'Église, toutefois, un rôle particulier revient dans ce domaine aux personnes consacrées, qui sont appelées à faire entrer dans le champ de l'éducation le témoignage radical des biens du Royaume, proposés à tout homme dans l'attente de la rencontre définitive avec le Seigneur de l'histoire. Par leur consécration propre, par leur expérience particulière des dons de l'Esprit, par leur écoute assidue de la Parole et par la pratique du discernement, par le riche patrimoine de traditions éducatives constitué dans le temps par leur Institut, par la connaissance approfondie des vérités d'ordre spirituel (cf. *Ep* 1,17), les personnes consacrées sont en mesure de mener une action éducative particulièrement efficace, en apportant une contribution spécifique aux démarches des autres éducateurs et éducatrices.

Fortes de ce charisme, elles peuvent créer des cadres éducatifs pénétrés par l'esprit évangélique de liberté et de charité, où les jeunes seront aidés à croître en humanité sous la conduite de l'Esprit.[235] La communauté éducative devient ainsi une expérience de communion et un lieu de grâce, où le projet pédagogique contribue à unir en une synthèse harmonieuse le divin et l'humain, l'Évangile et la culture, la foi et la vie.

[235] Cf. CONC. ŒCUM. VAT. II, Déclaration sur l'éducation chrétienne *Gravissimum educationis,* n. 8.

L'histoire de l'Église, de l'antiquité à nos jours, est riche d'exemples admirables de personnes consacrées qui ont vécu et qui vivent la recherche de la sainteté à travers leur engagement pédagogique, tout en proposant la sainteté comme un but dans l'éducation. De fait, beaucoup d'entre eux ont atteint la perfection de la charité en étant éducateurs. C'est un des dons les plus précieux que les personnes consacrées puissent faire aujourd'hui encore à la jeunesse, dans un service pédagogique riche d'amour, selon le sage avertissement de saint Jean Bosco: « Que les jeunes ne soient pas seulement aimés, mais qu'ils sachent qu'ils sont aimés! ».[236]

La nécessité d'un engagement renouvelé dans le domaine éducatif

97. Les personnes consacrées montreront, avec une délicatesse respectueuse en même temps qu'avec une audace missionnaire, que la foi en Jésus Christ éclaire tout le champ éducatif, sans dédaigner les valeurs humaines, mais plutôt en les affermissant et en les élevant. Elles se font ainsi les témoins et les instruments de la puissance de l'Incarnation et de la force de l'Esprit. Cette activité représente une des expressions les plus significatives de la maternité que l'Église exerce envers tous ses enfants, à l'image de Marie.[237]

[236] *Scritti pedagogici e spirituali,* Rome (1987), p. 294.

[237] Cf. JEAN-PAUL II, Const. ap. *Sapientia christiana* (15 avril 1979), II: *AAS* 71 (1979), p. 471.

C'est pourquoi le Synode a exhorté avec insistance les personnes consacrées à reprendre avec une détermination renouvelée la mission de l'éducation, là où c'est possible, dans des écoles de tous les types et de tous les niveaux, dans des Universités et des Instituts d'enseignement supérieur.[238] Faisant mienne la consigne du Synode, je recommande vivement aux membres des Instituts à vocation éducative d'être fidèles à leur charisme primitif et à leurs traditions, conscients que l'amour préférentiel pour les pauvres s'applique spécialement dans le choix des moyens propres à libérer les hommes de la forme grave de la misère qu'est le manque de formation culturelle et religieuse.

Étant donné l'importance que représentent les universités et les facultés catholiques et ecclésiastiques dans les domaines de l'éducation et de l'évangélisation, les Instituts qui en ont la charge doivent être conscients de leur responsabilité et faire en sorte que, dans ces institutions, tout en menant un dialogue actif avec la culture actuelle, soit préservé leur caractère catholique propre, en toute fidélité au magistère de l'Église. En outre, selon les circonstances, les membres de ces Instituts et de ces Sociétés devront être prêts à entrer dans les structures éducatives de l'État. De par leur vocation spécifique, les membres des Instituts séculiers sont spécialement appelés à ce genre d'interventions.

[238] Cf. *Proposition* 41.

98. Les Instituts de vie consacrée ont toujours eu une grande influence pour la formation et la transmission de la culture. Cela s'est produit au Moyen-Âge, lorsque les monastères devinrent des lieux d'accès aux richesses culturelles du passé et permirent l'élaboration d'une nouvelle culture, humaniste et chrétienne. Cela s'est réalisé chaque fois que la lumière de l'Évangile est parvenue à de nouveaux peuples. De nombreuses personnes consacrées ont développé la culture, et elles ont souvent étudié et défendu les cultures autochtones. Le besoin de contribuer à la promotion de la culture, au dialogue entre la culture et la foi, est ressenti aujourd'hui dans l'Église de manière toute particulière.[239]

Les consacrés ne peuvent que se sentir concernés par cette urgence. Eux aussi sont appelés, pour l'annonce de la Parole de Dieu, à choisir les méthodes les plus adaptées aux besoins des groupes et des milieux professionnels différents, afin que la lumière du Christ entre dans tous les secteurs humains et que les germes du salut transforment de l'intérieur la vie sociale, en favorisant la constitution d'une culture pénétrée de valeurs évangéliques.[240] Au seuil du troisième millénaire chrétien, la vie consacrée pourra renouveler également par un tel engagement sa

[239] Cf. JEAN-PAUL II, Const. ap. *Sapientia christiana* (15 avril 1979), II: *AAS* 71 (1979), p. 470.
[240] Cf. *Proposition* 36.

réponse à la volonté de Dieu, venu à la rencontre de toutes les personnes qui, consciemment ou non, cherchent comme à tâtons la Vérité et la Vie (cf. *Ac* 17,27).

Mais, mis à part le service rendu aux autres, le besoin existe aussi à l'intérieur de la vie consacrée de *renouveler l'attachement à l'engagement culturel,* de se consacrer à l'étude comme moyen de formation intégrale et comme voie d'ascèse, extraordinairement actuelle, face à la diversité des cultures. Abaisser le niveau d'engagement dans l'étude, cela peut avoir de lourdes conséquences même sur l'apostolat, en provoquant un sentiment de marginalité et d'infériorité, ou en favorisant la superficialité et la légèreté dans les initiatives.

Compte tenu de la diversité des charismes et des possibilités réelles des Instituts, l'engagement pour l'étude ne peut se réduire à la formation initiale ou à l'obtention de titres académiques et de compétences professionnelles. Il est plutôt l'expression du désir jamais comblé de connaître Dieu plus en profondeur, abîme de lumière et source de toute vérité humaine. Cet engagement ne confine donc pas la personne consacrée dans un intellectualisme abstrait et il ne l'enferme pas dans le cercle d'un narcissisme étouffant; au contraire, il pousse au dialogue et au partage, il développe l'exercice du jugement, il incite à la contemplation et à la prière, dans la recherche constante de Dieu et la découverte de son action au cœur de la réalité complexe du monde contemporain.

En se laissant transformer par l'Esprit, la personne consacrée devient capable d'élargir les horizons des désirs humains étroits et, en même temps, de saisir les dimensions profondes de tout individu et de son histoire, au-delà des aspects plus apparents, mais souvent secondaires. Les défis qui surgissent dans les différentes cultures sont aujourd'hui innombrables: il importe d'entretenir des rapports féconds avec des milieux nouveaux ou traditionnellement familiers de la vie consacrée, avec un sens critique aigu mais aussi avec confiance envers ceux qui font face aux difficultés caractéristiques du travail intellectuel, surtout lorsque, devant les problèmes inédits de notre temps, ils doivent tenter des analyses et des synthèses nouvelles.[241] On ne peut réaliser une évangélisation sérieuse et valable des nouveaux milieux où s'élabore et se transmet la culture sans une collaboration active avec les laïcs qui s'y trouvent engagés.

Présence dans le monde des communications sociales

99. De même que, par le passé, les personnes consacrées ont su se mettre au service de l'évangélisation avec tous les moyens disponibles, en faisant face avec talent aux difficultés, aujourd'hui, le devoir de rendre témoignage à l'Évangile par les moyens de communication sociale s'im-

[241] Cf. Conc. œcum. Vat. II, Const. past. *Gaudium et spes,* n. 5.

pose à elles d'une manière nouvelle. Ces moyens ont acquis une capacité de rayonnement mondial et, grâce à des technologies très puissantes, ils sont en mesure d'atteindre les lieux les plus reculés de la terre. Les personnes consacrées, surtout quand leur charisme institutionnel les amène à travailler dans ce domaine, sont tenues d'acquérir une connaissance sérieuse du langage propre à ces moyens de communication, pour parler du Christ de manière convaincante à l'homme contemporain, en exprimant « ses joies et ses espoirs, ses tristesses et ses angoisses »,[242] et pour contribuer ainsi à l'édification d'une société où tous se sentent frères et sœurs sur la route qui mène à Dieu.

Il convient toutefois d'être vigilant devant des usages détournés de ces moyens qui disposent d'un pouvoir de persuasion extraordinaire. Il est bon de ne pas se dissimuler les problèmes qui peuvent en résulter pour la vie consacrée elle-même; il vaut mieux les aborder avec un discernement éclairé.[243] La réponse de l'Église est surtout de nature éducative: elle tend à faire bien comprendre les logiques implicites et à permettre une évaluation éthique réfléchie des programmes, de même qu'à favoriser l'adoption d'habitudes

[242] *Ibid.*, n. 1.

[243] Cf. Congrégation pour les Instituts de Vie consacrée et les Sociétés de Vie apostolique, Instruction *La vie fraternelle en communauté « Congregavit nos in unum Christi amor »* (2 février 1994), n. 34: *La Documentation catholique* 91 (1994), pp. 420-421.

saines dans leur utilisation.[244] Dans ce processus éducatif, destiné à former des auditeurs avisés et des experts en communication, les personnes consacrées sont appelées à donner leur témoignage particulier sur la relativité de toutes les réalités visibles, en aidant leurs frères à les évaluer selon le dessein de Dieu, mais aussi à se libérer de l'emprise obsessionnelle de la figure de ce monde qui passe (cf. *1 Co* 7,31).

Il faut encourager tous les efforts menés dans ce domaine important et nouveau de l'apostolat, afin que l'Évangile du Christ soit aussi annoncé par ces moyens modernes. Les divers Instituts seront prêts à collaborer, en y consacrant des forces, des moyens et des personnes, à la réalisation de projets communs dans les différents secteurs de la communication sociale. En outre, les personnes consacrées, en particulier les membres des Instituts séculiers, auront à cœur de prendre part, en fonction des besoins de la pastorale, à la formation religieuse des responsables et des agents des communications sociales publiques ou privées, tant pour limiter les dommages provoqués par l'usage dévoyé des médias que pour promouvoir une meilleure qualité des émissions, dont le contenu sera respectueux de la loi morale et riche des valeurs humaines et chrétiennes.

[244] Cf. JEAN-PAUL II, Message pour la XXVIIIe Journée mondiale des Communications sociales (24 janvier 1994): *La Documentation catholique* 91 (1994), pp. 203-205.

Au service de l'unité des chrétiens

100. La prière du Christ à son Père avant la Passion, pour que les disciples demeurent dans l'unité (cf. *Jn* 17,21-23), se prolonge dans la prière et dans l'action de l'Église. Comment ceux qui sont appelés à la vie consacrée pourraient-ils ne pas se sentir concernés? La blessure de la désunion encore existante entre ceux qui croient au Christ et l'urgence de prier et de travailler pour promouvoir l'unité de tous les chrétiens ont été particulièrement ressenties au Synode. La sensibilité œcuménique des personnes consacrées est avivée par la conscience que, dans d'autres Églises et Communautés ecclésiales, le monachisme demeure et qu'il y est florissant, comme dans les Églises d'Orient, ou bien que la profession des conseils évangéliques est reprise, comme dans la Communion anglicane ou dans les Communautés de la Réforme.

Le Synode a mis en lumière le lien profond de la vie consacrée avec la cause de l'œcuménisme et l'urgence d'un témoignage plus intense dans ce domaine. En effet, du fait que l'âme de l'œcuménisme est la prière et la conversion,[245] il n'est pas douteux que les Instituts de vie consacrée et les Sociétés de vie apostolique ont un devoir particulier de cultiver cet engagement. Il est

[245] Cf. JEAN-PAUL II, Encycl. *Ut unum sint* (25 mai 1995), n. 21: *AAS* 87 (1995), p. 934.

donc urgent que, dans la vie des personnes consacrées, on réserve plus de place à la prière œcuménique et au témoignage authentiquement évangélique, afin que, par la force de l'Esprit Saint, on puisse abattre les murs des divisions et des préjugés entre les chrétiens.

Les formes du dialogue œcuménique

101. Le partage de la *lectio divina* dans la recherche de la vérité, la participation à la prière commune, où le Seigneur a assuré de sa présence (cf. *Mt* 18,20), le dialogue de l'amitié et de la charité qui fait éprouver combien il est doux pour des frères de vivre ensemble (cf. *Ps* 133/132), l'hospitalité cordiale envers des frères et des sœurs des différentes confessions chrétiennes, la connaissance mutuelle et l'échange des dons, la collaboration dans des initiatives communes de service et de témoignage, ce sont là autant de formes du dialogue œcuménique, agréables au Père commun et signes de la volonté d'avancer ensemble vers l'unité parfaite sur la voie de la vérité et de l'amour.[246] De même, la connaissance de l'histoire, de la doctrine, de la liturgie, de l'action caritative et apostolique des autres chrétiens ne manquera pas de favoriser une action œcuménique toujours plus intense.[247]

Je désire encourager les Instituts qui, en vertu de leur caractère primitif ou d'appels ulté-

[246] Cf. *ibid.*, n. 28: *l. c.*, pp. 938-939.
[247] Cf. *Proposition* 45.

rieurs, se consacrent à la promotion de l'unité des chrétiens et engagent pour cela des programmes d'étude et d'action concrète. En réalité, aucun Institut de vie consacrée ne doit se sentir dispensé de travailler pour cette cause. En outre, je pense aux Églises orientales catholiques, en souhaitant que, notamment par le monachisme masculin et féminin, dont le développement est une grâce qui doit être constamment implorée, elles puissent contribuer à l'unité avec les Églises orthodoxes, dans le dialogue de la charité et dans le partage de la spiritualité commune, patrimoine de l'Église indivise du premier millénaire.

Je confie particulièrement aux monastères de vie contemplative l'œcuménisme spirituel de la prière, de la conversion du cœur et de la charité. À cette fin, j'encourage leur présence là où vivent des communautés chrétiennes de différentes confessions, afin que leur totale consécration à l'« unique nécessaire » (cf. *Lc* 10,42), au culte de Dieu et à l'intercession pour le salut du monde, avec leur témoignage de vie évangélique selon leurs charismes propres, soit pour tous une incitation à vivre, à l'image de la Trinité, l'unité voulue et demandée au Père par Jésus pour tous ses disciples.

Le dialogue inter-religieux

102. Du fait que « le dialogue inter-religieux fait partie de la mission évangélisatrice de

l'Église »,[248] les Instituts de vie consacrée ne peuvent de dispenser de s'engager également dans ce domaine, chacun selon son charisme et en suivant les indications de l'autorité ecclésiastique. La première forme d'évangélisation envers les frères et sœurs d'une autre religion sera le simple témoignage d'une vie pauvre, humble et chaste, pénétrée d'amour fraternel pour tous. En même temps, la liberté d'esprit caractéristique de la vie consacrée favorisera le « dialogue de la vie »,[249] dans lequel s'applique un modèle fondamental de mission et d'annonce de l'Évangile du Christ. Pour favoriser la connaissance mutuelle, le respect réciproque et la charité, les Instituts religieux pourront poursuivre aussi d'*opportunes formes de dialogue,* empreintes d'amitié cordiale et de sincérité partagée, avec les milieux monastiques des autres religions.

La collaboration avec des hommes et des femmes de traditions religieuses différentes trouve un autre champ d'action dans *la sollicitude commune pour la vie humaine,* qui va de la compassion pour la souffrance physique et spirituelle à l'engagement pour la justice, la paix et la sauvegarde de la création. Dans ces secteurs, ce sont surtout les Instituts de vie active qui chercheront l'entente avec les membres d'autres religions, dans

[248] JEAN-PAUL II, Encycl. *Redemptoris missio* (7 décembre 1990), n. 55: *AAS* 83 (1991), p. 302.

[249] CONSEIL PONTIFICAL POUR LE DIALOGUE INTER-RELIGIEUX et CONGRÉGATION POUR L'ÉVANGÉLISATION DES PEUPLES, Instruction *Dialogue et annonce* (19 mai 1991), n. 42, a: *AAS* 84 (1992), p. 428.

le « dialogue des œuvres »[250] qui ouvre la voie à un partage plus profond.

La recherche et la promotion de la dignité de la femme est aussi un domaine particulier pour une rencontre active avec des personnes d'autres traditions religieuses. Dans l'optique de l'égalité et de la juste réciprocité entre l'homme et la femme, les femmes consacrées surtout peuvent rendre de précieux services.[251]

Parmi d'autres, ces engagements des personnes consacrées en faveur du dialogue inter-religieux demandent une préparation appropriée au cours de la formation initiale et de la formation permanente, de même que dans l'étude et la recherche,[252] parce que, dans ce secteur assez difficile, il faut une connaissance profonde du christianisme et des autres religions, en même temps qu'une foi solide et une bonne maturité spirituelle et humaine.

Une réponse spirituelle à la recherche du sacré et à la nostalgie de Dieu

103. Ceux qui embrassent la vie consacrée, hommes et femmes, se situent, par la nature même de leur choix, en acteurs privilégiés de la recherche de Dieu qui anime depuis toujours le

[250] *Ibid.,* n. 42, b.

[251] Cf. *Proposition* 46.

[252] Cf. Conseil pontifical pour le Dialogue inter-religieux et Congrégation pour l'Évangélisation des Peuples, Instruction *Dialogue et annonce* (19 mai 1991), n. 42, c: *AAS* 84 (1992), p. 428.

cœur de l'homme et le conduit dans de multiples voies d'ascèse et de spiritualité. Dans beaucoup de régions, cette recherche se présente aujourd'hui de manière forte comme une réponse à des cultures qui tendent, sinon toujours à nier, du moins à marginaliser la dimension religieuse de l'existence.

Les personnes consacrées, vivant de manière cohérente et en plénitude leurs engagements pris librement, peuvent présenter des réponses aux aspirations de leurs contemporains et leur éviter de recourir à des solutions pour le moins illusoires et souvent négatrices de l'Incarnation salvifique du Christ (cf. *1 Jn* 4,2-3), telles que les proposent, par exemple, les sectes. En pratiquant une ascèse personnelle et communautaire, qui purifie et transfigure toute l'existence, les consacrés témoignent, à l'encontre des tentations de l'égocentrisme et de la sensualité, des conditions de la recherche authentique de Dieu, et ils invitent à ne pas la confondre avec la recherche insidieuse de soi-même ou avec la fuite dans la gnose. Toute personne consacrée doit former en elle l'homme intérieur qui ne s'évade pas de l'histoire ni ne se replie sur lui-même. En vivant à l'écoute obéissante de la Parole dont l'Église est la gardienne et l'interprète, elle fait percevoir dans le Christ suprêmement aimé et dans le mystère trinitaire l'objet de l'aspiration profonde du cœur humain et le terme de tout itinéraire religieux sincèrement ouvert à la transcendance.

C'est pourquoi les personnes consacrées ont le devoir d'offrir généreusement leur accueil et un accompagnement spirituel à ceux qui s'adressent à elles, animés par la soif de Dieu et par le désir de vivre les exigences de la foi.[253]

[253] Cf. *Proposition* 47.

CONCLUSION

La surabondance de la gratuité

104. Aujourd'hui, beaucoup se montrent perplexes et s'interrogent: pourquoi la vie consacrée? Pourquoi embrasser ce genre de vie, alors qu'il y a tant d'urgences, dans les domaines de la charité et de l'évangélisation elle-même, auxquelles on peut aussi répondre sans se charger des engagements particuliers de la vie consacrée? La vie consacrée n'est-elle pas une sorte de « gaspillage » d'énergie humaine utilisable suivant les critères de l'efficacité pour un bien plus grand au profit de l'humanité et de l'Église?

Ces questions reviennent plus fréquemment à notre époque, suscitées par une culture utilitariste et technocratique qui tend à évaluer l'importance des choses et même des personnes par rapport à leur « utilité » immédiate. Mais de telles interrogations ont toujours existé, comme le montre bien l'épisode évangélique de l'onction de Béthanie: « Marie, prenant une livre d'un parfum de nard pur, de grand prix, oignit les pieds de Jésus et les essuya avec ses cheveux; et la maison s'emplit de la senteur du parfum » (*Jn* 12,3). À Judas qui se plaignait d'un tel gaspillage, prenant prétexte des besoins des pauvres, Jésus répondit: « Laisse-la faire » (*Jn* 12,7).

C'est la réponse toujours valable à la question que se posent tant de personnes, même de bonne foi, sur l'actualité de la vie consacrée: ne pourrait-on engager son existence de manière plus efficace et rationnelle pour l'amélioration de la société? Voici la réponse de Jésus: « Laisse-la faire ».

Pour qui reçoit le don inestimable de suivre de plus près le Seigneur Jésus, il paraît évident qu'Il peut et doit être aimé d'un cœur sans partage, que l'on peut Lui consacrer toute sa vie et pas seulement certains gestes, certains moments ou certaines activités. Le parfum précieux versé comme pur acte d'amour, et donc en dehors de toute considération « utilitaire », est signe d'une *surabondance de gratuité,* qui s'exprime dans une vie dépensée pour aimer et pour servir le Seigneur, pour se consacrer à sa personne et à son Corps mystique. Cette vie « répandue » sans compter diffuse un parfum qui remplit toute la maison. Aujourd'hui non moins qu'hier, la maison de Dieu, l'Église, est ornée et enrichie par la présence de la vie consacrée.

Pour la personne captivée dans le secret de son cœur par la beauté et la bonté du Seigneur, ce qui peut paraître un gaspillage aux yeux des hommes est une réponse d'amour évidente, c'est une gratitude enthousiaste pour avoir été admise de manière toute spéciale à la connaissance du Fils et au partage de sa divine mission dans le monde.

« Si un fils de Dieu connaissait et goûtait l'amour divin, Dieu incréé, Dieu incarné, Dieu passionné, qui est le souverain bien, tout lui serait donné, il se soustrairait non seulement aux autres créatures, mais jusqu'à lui-même, et de tout son être il aimerait ce Dieu d'amour au point de se transformer tout entier en ce Dieu-homme, qui est le souverainement Aimé ».[254]

La vie consacrée au service du Royaume de Dieu

105. « Qu'en serait-il du monde, s'il n'y avait les religieux? »[255] Au-delà des estimations superficielles en fonction de l'utilité, la vie consacrée est importante précisément parce qu'elle est *surabondance de gratuité et d'amour,* et elle l'est d'autant plus que ce monde risque d'être étouffé par le tourbillon de l'éphémère. « Sans ce signe concret, la charité de l'ensemble de l'Église risquerait de se refroidir, le paradoxe salvifique de l'Évangile de s'émousser, le "sel" de la foi de se diluer dans un monde en voie de sécularisation ».[256] La vie de l'Église et la société elle-même ont besoin de personnes capables de se consacrer totalement à Dieu et aux autres pour l'amour de Dieu.

L'Église ne peut absolument pas renoncer à la vie consacrée, parce que celle-ci *exprime de ma-*

[254] B. Angèle de Foligno, *Il libro della Beata Angela da Foligno,* Grottaferrata (1985), p. 683.

[255] S. Thérèse de Jésus, *Libro de la Vida,* ch. 32, 11.

[256] Paul VI, Exhort. ap. *Evangelica testificatio* (29 juin 1971), n. 3: *AAS* 63 (1971), p. 498.

nière éloquente son intime nature « sponsale ». En elle, l'annonce de l'Évangile au monde entier trouve un nouvel élan et une énergie nouvelle. En effet, on a besoin de personnes qui présentent le visage paternel de Dieu et le visage maternel de l'Église, qui mettent en jeu leur propre vie pour que d'autres aient la vie et l'espérance. Dans l'Église il faut des personnes consacrées qui, avant même de s'engager au service d'une noble cause, se laissent transformer par la grâce de Dieu et se conforment pleinement à l'Évangile.

L'Église tout entière a reçu ce grand don dans ses mains et, en esprit de gratitude, elle s'emploie à le promouvoir avec estime, par la prière et par l'invitation explicite à l'accueillir. Il importe que les évêques, les prêtres et les diacres, convaincus de l'excellence évangélique de ce genre de vie, travaillent à découvrir et à soutenir les germes de vocations par la prédication, le discernement et un sage accompagnement spirituel. Il est demandé à tous les fidèles de prier sans cesse pour les personnes consacrées, afin que leur ferveur et leur capacité d'aimer augmentent constamment et contribuent à répandre dans la société actuelle le bon parfum du Christ. Toute la communauté chrétienne — pasteurs, laïcs et personnes consacrées — est responsable de la vie consacrée, de l'accueil et du soutien apportés aux nouvelles vocations.[257]

[257] Cf. *Proposition* 48.

Aux jeunes

106. À vous, les jeunes, je dis: si vous entendez l'appel du Seigneur, ne le repoussez pas! Situez-vous plutôt avec courage dans les profonds courants de sainteté que de grands saints et saintes ont fait naître à la suite du Christ. Entretenez en vous les aspirations typiques de votre âge, mais adhérez sans tarder au projet de Dieu sur vous, s'Il vous invite à chercher la sainteté dans la vie consacrée. Admirez toutes les œuvres de Dieu dans le monde, mais sachez fixer votre regard sur les réalités promises à ne passer jamais.

Le troisième millénaire attend l'apport de la foi et de la créativité de nombreux jeunes consacrés, pour que le monde devienne plus serein et plus capable d'accueillir Dieu et, en Lui, tous ses fils et toutes ses filles.

Aux familles

107. Je m'adresse à vous, familles chrétiennes. Vous, parents, rendez grâce au Seigneur s'il a appelé l'un de vos enfants à la vie consacrée. Comme cela a toujours été, il faut se sentir très honoré que le Seigneur porte son regard sur une famille et choisisse l'un de ses membres pour l'inviter à prendre la voie des conseils évangéliques. Gardez le désir de donner au Seigneur l'un de vos enfants pour la croissance de l'amour de Dieu dans le monde. Quel fruit de l'amour conjugal pourrait être plus beau que celui-là?

Il convient de se rappeler que, si les parents ne vivent pas les valeurs évangéliques, le jeune garçon et la jeune fille pourront difficilement entendre l'appel, comprendre la nécessité des sacrifices à consentir ou apprécier la beauté du but à atteindre. C'est en effet dans la famille que les jeunes font la première expérience des valeurs évangéliques, de l'amour qui se donne à Dieu et aux autres. Il faut aussi qu'ils soient formés à l'usage responsable de leur liberté, afin d'être prêts à vivre, selon leur vocation, les plus hautes réalités spirituelles.

Je prie pour que vous, familles chrétiennes, unies au Seigneur par la prière et la vie sacramentelle, vous soyez des foyers accueillants aux vocations.

Aux hommes et aux femmes de bonne volonté

108. À tous les hommes et à toutes les femmes qui voudront bien écouter ma voix, je désire adresser un appel: cherchez les voies qui conduisent au Dieu vivant et vrai, en particulier sur les chemins tracés par la vie consacrée. Les personnes consacrées témoignent que « quiconque suit le Christ, Homme parfait, devient lui aussi davantage homme ».[258] Combien d'entre elles se sont penchées, et continuent à se pencher, comme de bons samaritains, sur les innombrables blessures de leurs frères et sœurs rencontrés sur leur route!

[258] CONC. ŒCUM. VAT. II, Const. past. *Gaudium et spes,* n. 41.

Regardez ces personnes saisies par le Christ, qui montrent par leur maîtrise d'elles-mêmes, soutenues par la grâce et par l'amour de Dieu, le remède qui libère de l'avidité de posséder, de jouir, de dominer. N'oubliez pas les charismes qui ont formé de merveilleux « chercheurs de Dieu » et des bienfaiteurs de l'humanité, qui ont ouvert des voies sûres à ceux qui cherchent Dieu d'un cœur sincère. Considérez le grand nombre de saints qui se sont épanouis dans ce genre de vie, considérez le bien fait au monde, hier et aujourd'hui, par ceux qui se sont offerts à Dieu! Notre monde n'a-t-il pas besoin de joyeux témoins et prophètes de la puissance bienfaisante de l'amour de Dieu? N'a-t-il pas aussi besoin d'hommes et de femmes qui, par leur vie et par leur action, sachent semer des germes de paix et de fraternité? [259]

Aux personnes consacrées

109. Mais c'est à vous surtout, femmes et hommes consacrés, qu'au terme de cette Exhortation j'adresse avec confiance mon appel: vivez pleinement votre offrande à Dieu, pour que ce monde ne soit pas privé d'un rayon de la beauté divine qui illumine la route de l'existence humaine. Les chrétiens, plongés dans les occupations et les soucis de ce monde, mais appelés, eux aussi, à la sainteté, ont besoin de trouver en

[259] Cf. Paul VI, Exhort. ap. *Evangelica testificatio* (29 juin 1971), n. 53: *AAS* 63 (1971), p. 524; Exhort. ap. *Evangelii nuntiandi* (8 décembre 1975), n. 69: *AAS* 68 (1976), p. 59.

vous des cœurs purifiés qui « voient » Dieu dans la foi, des personnes dociles à l'action de l'Esprit Saint, qui marchent allègrement, fidèles au charisme de leur vocation et de leur mission.

Vous savez bien que vous avez entrepris un chemin de conversion continue, de don exclusif à l'amour de Dieu et de vos frères, pour témoigner de manière toujours plus belle de la grâce qui transfigure l'existence chrétienne. Le monde et l'Église cherchent d'authentiques témoins du Christ. Et la vie consacrée est un don que Dieu fait pour que l'« unique nécessaire » (cf. *Lc* 10,42) soit mis sous les yeux de tous. Dans l'Église et dans le monde, la vie consacrée a spécialement pour mission de rendre témoignage au Christ par la vie, par les œuvres et par la parole.

Vous savez en qui vous avez mis votre foi (cf. *2 Tm* 1,12): donnez-lui tout! Les jeunes ne se laissent pas tromper: venant à vous, ils veulent voir ce qu'ils ne voient pas ailleurs. Vous avez une responsabilité immense pour demain: les jeunes consacrés en particulier, témoignant de leur consécration, pourront amener leurs contemporains à renouveler leur vie.[260] L'amour passionné pour Jésus Christ attire puissamment les autres jeunes que, dans sa bonté, Il appelle à le suivre de près et pour toujours. Les hommes de notre temps veulent voir dans les personnes consacrées la joie qu'ils ressentent en étant avec le Seigneur.

[260] Cf. *Proposition* 16.

Personnes consacrées, aînées et jeunes, vivez la fidélité à votre engagement envers Dieu, en vous édifiant et en vous soutenant mutuellement. Malgré les difficultés que vous avez pu rencontrer parfois et la moindre estime portée à la vie consacrée dans une certaine opinion publique, vous avez la mission d'inviter de nouveau les hommes et les femmes de notre temps à regarder vers le haut, à ne pas se laisser envahir par les affaires de chaque jour, mais à se laisser séduire par Dieu et par l'Évangile de son Fils. N'oubliez jamais que vous, tout particulièrement, vous pouvez et vous devez dire non seulement que vous êtes du Christ, mais que vous « êtes devenus le Christ ».[261]

Regard vers l'avenir

110. Vous n'avez pas seulement à vous rappeler et à raconter une histoire glorieuse, mais *vous avez à construire une grande histoire*! Regardez vers l'avenir, où l'Esprit vous envoie pour faire encore avec vous de grandes choses.

Chers hommes et femmes consacrés, faites de votre vie une attente fervente du Christ, allant à sa rencontre comme les vierges sages qui vont à la rencontre de l'Époux. Soyez toujours prêts, fidèles au Christ, à l'Église, à votre Institut et à l'homme de notre temps.[262] De jour en jour, vous

[261] S. Augustin, *In Ioannis Evang.*, XXI, 8: *PL* 35, 1568.
[262] Cf. Congrégation pour les Religieux et les Insti-

serez ainsi renouvelés par le Christ, pour construire avec l'aide de son Esprit des communautés fraternelles, pour laver avec Lui les pieds des pauvres et pour apporter votre contribution irremplaçable à la transfiguration du monde.

Tandis qu'il entre dans le nouveau millénaire, puisse notre monde, remis aux mains de l'homme, être toujours plus humain et plus juste, signe et anticipation du monde à venir, où le Seigneur humble et glorifié, pauvre et exalté, sera joie pleine et durable pour nous et pour nos frères et sœurs, avec le Père et l'Esprit Saint.

Prière à la Trinité

111. Trinité Sainte, bienheureuse et qui rends bienheureux, comble de bonheur tes fils et tes filles que tu as appelés à confesser la grandeur de ton amour, de ta bonté miséricordieuse et de ta beauté.

Père Saint, sanctifie les fils et les filles qui se sont consacrés à Toi, pour la gloire de ton nom. Par ta puissance, soutiens-les pour qu'ils puissent témoigner que Tu es l'origine de tout, l'unique source de l'amour et de la liberté. Nous Te remercions pour le don de la vie consacrée qui, dans la foi, Te cherche et, dans sa mission universelle, invite toute l'humanité à avancer vers Toi.

Jésus Sauveur, Verbe incarné, de même que Tu as donné ta forme de vie à ceux que Tu as

TUTS SÉCULIERS, Document *Religieux et promotion humaine* (12 août 1980), nn. 13-21: *La Documentation catholique* 78 (1981), pp. 165-174.

appelés, continue d'attirer à Toi des personnes qui, pour l'humanité de notre temps, soient dépositaires de la miséricorde, précurseurs de ton retour, signes vivants des biens de la résurrection à venir. Qu'aucune épreuve ne les sépare de Toi ni de ton amour!

Esprit Saint, Amour répandu dans nos cœurs, Toi qui donnes grâce et inspiration aux âmes, source éternelle de vie qui achèves la mission du Christ par de nombreux charismes, nous Te prions pour toutes les personnes consacrées. Remplis leurs cœurs de la certitude intérieure d'avoir été choisies pour aimer, louer et servir. Fais-leur goûter ton amitié, remplis-les de ta joie et de ton réconfort, aide-les à dépasser les moments de difficulté et à se relever avec confiance après les chutes, fais d'elles le miroir de la beauté divine. Donne-leur le courage de répondre aux défis de notre temps et la grâce d'apporter aux hommes la bonté et l'humanité de notre Sauveur Jésus Christ (cf. *Tt* 3,4).

Invocation à la Vierge Marie

112. Marie, figure de l'Église, Épouse sans ride et sans tache, qui, en t'imitant « conserve virginalement une foi entière, une espérance ferme, une charité sincère »,[263] soutiens les personnes consacrées qui tendent vers la béatitude unique et éternelle.

[263] CONC. ŒCUM. VAT. II, Const. dogm. *Lumen gentium,* n. 64.

À Toi, Vierge de la Visitation, nous les confions, afin qu'elles sachent se hâter à la rencontre des hommes dans la nécessité, pour apporter de l'aide, mais surtout pour apporter Jésus. Apprends-leur à proclamer les merveilles que le Seigneur accomplit dans le monde, afin que tous les peuples magnifient son nom. Soutiens-les dans leur travail en faveur des pauvres, des affamés, des désespérés, des humbles et de tous ceux qui cherchent ton Fils d'un cœur sincère.

Ô Mère, qui veux le renouveau spirituel et apostolique de tes fils et de tes filles, par une réponse d'amour et d'offrande totale au Christ, nous t'adressons notre prière avec confiance. Toi qui as fait la volonté du Père, empressée dans l'obéissance, courageuse dans la pauvreté, accueillante dans ta féconde virginité, obtiens de ton divin Fils que ceux qui ont reçu le don de le suivre dans la vie consacrée sachent lui rendre témoignage par une existence transfigurée, en avançant joyeusement, avec tous leurs autres frères et sœurs, vers la patrie céleste et la lumière sans crépuscule.

Nous te le demandons, pour qu'en tous et en tout soit glorifié, béni et aimé le Seigneur suprême de toutes choses, qui est Père, Fils et Esprit Saint.

Donné à Rome, près de Saint-Pierre, le 25 mars 1996, solennité de l'Annonciation du Seigneur, en la dix-huitième année de mon pontificat.

Joannes Paulus PP. II

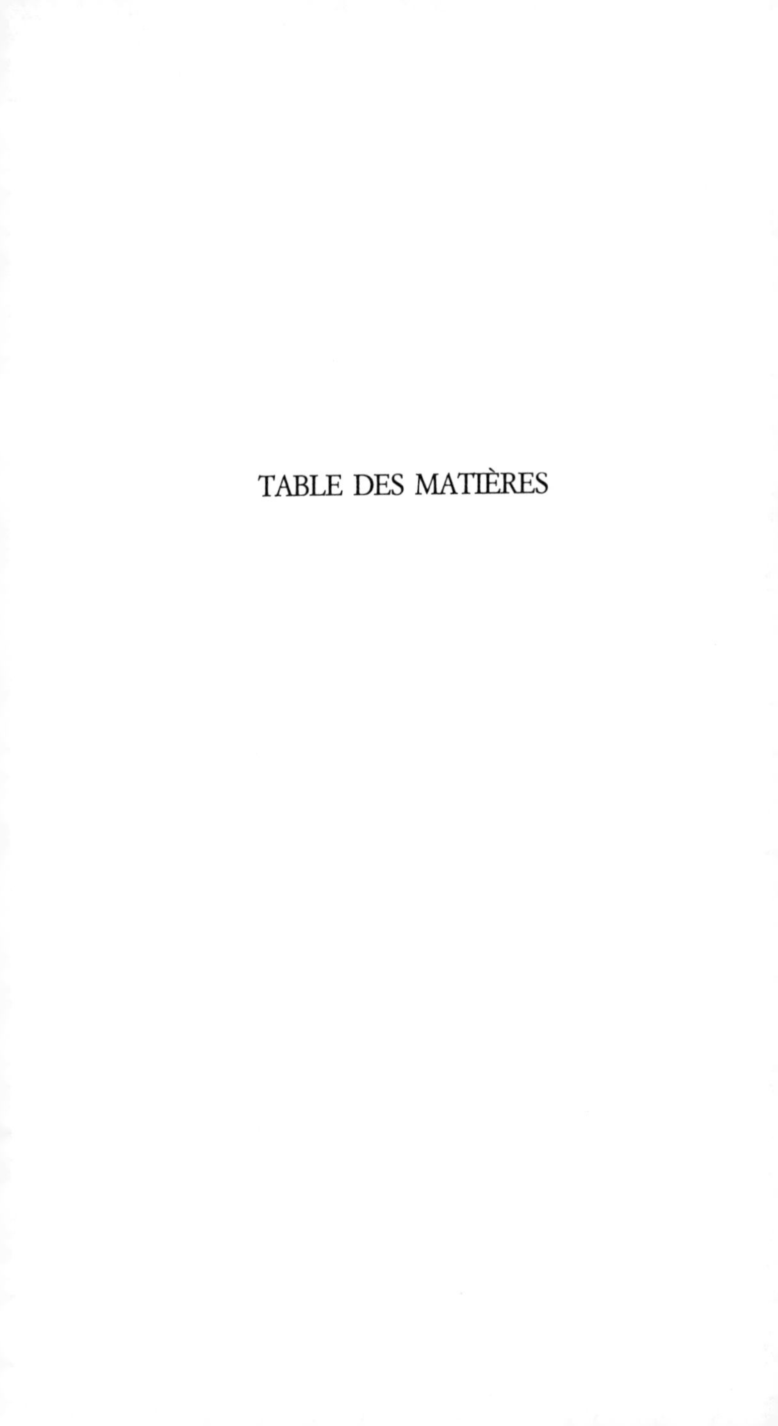

TABLE DES MATIÈRES

CHAPITRE I

CONFESSIO TRINITATIS

AUX SOURCES CHRISTOLOGIQUES
ET TRINITAIRES
DE LA VIE CONSACRÉE

I. À LA LOUANGE DE LA TRINITÉ

II. DE PÂQUES
À LA PLÉNITUDE DES TEMPS

III. DANS L'ÉGLISE ET POUR L'ÉGLISE

IV. GUIDÉS PAR L'ESPRIT DE SAINTETÉ

CHAPITRE II

SIGNUM FRATERNITATIS

LA VIE CONSACRÉE, SIGNE DE COMMUNION DANS L'ÉGLISE

I. VALEURS PERMANENTES

II. CONTINUER L'ŒUVRE DE L'ESPRIT: FIDÉLITÉ DANS LA NOUVEAUTÉ

III. REGARD VERS L'AVENIR

CHAPITRE III

SERVITIUM CARITATIS

LA VIE CONSACRÉE, MANIFESTATION DE L'AMOUR DE DIEU DANS LE MONDE

I. L'AMOUR JUSQU'AU BOUT

II. UN TÉMOIGNAGE PROPHÉTIQUE FACE AUX GRANDS DÉFIS

III. QUELQUES ARÉOPAGES DE LA MISSION

IV. ENGAGÉS DANS LE DIALOGUE AVEC TOUS

CONCLUSION

Collection **VIE CHRÉTIENNE**

1. Gaudium et spes
2. Lumen gentium
3. Le culte de la Vierge Marie, *Paul VI*
4. L'évangélisation dans le monde moderne, *Paul VI*
8. Le Rédempteur de l'homme, *Jean-Paul II*
10. Humanae vitae, *Paul VI*
12. La catéchèse en notre temps, *Jean-Paul II*
14. Le mystère et le culte de la Sainte Eucharistie, *Jean-Paul II*
15. La miséricorde divine, *Jean-Paul II*
17. C'est par le travail, *Jean-Paul II*
18. La famille, *Jean-Paul II*
21. L'enseignement de l'Église sur la vie religieuse
22. Charte des droits de la famille
24. La souffrance humaine, *Jean-Paul II*
25. Le don de la Rédemption, *Jean-Paul II*
26. Réconciliation et Pénitence, *Jean-Paul II*
27. Lettre à tous les jeunes du monde, *Jean-Paul II*
30. Liberté chrétienne et libération
31. Le Curé d'Ars, *Jean-Paul II*
32. Dominum et vivificantem, *Jean-Paul II*
33. Le respect de la vie humaine naissante et la dignité de la procréation
34. La Mère du Rédempteur, *Jean-Paul II*
35. La question sociale, *Jean-Paul II*
36. Dignité et vocation de la femme, *Jean-Paul II*
37. Vocation et mission des laïcs, *Jean-Paul II*
38. L'Église face au racisme
39. Saint Joseph, *Jean-Paul II*
40. La méditation chrétienne
41. La mission du Christ Rédempteur, *Jean-Paul II*
42. Centesimus annus, *Jean-Paul II*
43. Pasteurs selon mon cœur, *Jean-Paul II*
44. L'Eucharistie au cœur de l'évangélisation
45. La splendeur de la vérité, *Jean-Paul II*
46. Transplantations d'organes
47. Lettre aux familles, *Jean-Paul II*
48. L'interprétation de la Bible dans l'Église
49. La vie fraternelle en communauté
50. Directoire pour le ministère et la vie des prêtres
51. Évolutions démographiques, dimensions éthiques et pastorales
52. Le Jubilé de l'an 2000, *Jean-Paul II*
53. L'Évangile de la vie, *Jean-Paul II*
54. L'unité des chrétiens, *Jean-Paul II*
55. La vie consacrée, *Jean-Paul II*

Achevé d'imprimer
en septembre 1996
sur les presses de
Métrolitho

Imprimé au Canada — Printed in Canada